D1219912

SØNNEKÅR

En reise inn i Fars hjerte

M. James Jordan

Fatherheart Media
www.fatherheart.net

© 2015

Sønnekår – av M. James Jordan
Originalens tittel: Sonship
Tredje utgave utgitt av Fatherheart Media 2014
Første gang utgitt av Tree Of Life Media 2012

NB! DENNE BOKA HAR – I OVERSATT FORM – SAMME INNHOLD SOM TIDLIGERE
UTGAVER. FORELIGGENDE UTGAVE HAR KUN ET ANNET FORSIDEBILDE.

PO Box 1039, Taupo, New Zealand 3330
www.fatherheart.net

Trykket i USA

Forsidebilde av: Tom Carroll
Norsk oversettelse: Tomas Øvergaard

Med spesiell takk til:
Wilson Sze, Erica Sze, Cathy Garrat,
Veikko Kosonen og Lloyd Ashton.

ISBN 13:978-0-9941016-8-6

Der ikke annet er oppgitt, er alle skriftsitater hentet fra Bibelselskapets Bibel 2011. Bibeloversettelsene som er brukt i originalutgaven Sonship er: New King James Version og New International Version.

For andre bøker, e-bøker, CDer, DVDer eller MP3er, se www.fatherheart.net/shop
Vi tar gjerne imot bestillinger over nettet og sørger for forsendelse pr. post.

Til Jack og Dorothy Winter

INNHOLD

I TAKKNEMLIGHET

Jeg kan ikke uttrykke i ord hvor stor takknemlighet jeg føler overfor Jack Winter og den avgjørende innflytelse han har hatt i mitt liv. Da jeg som ung kristen gikk på bibelskolen, talte Herren klart og tydelig til meg og sa at Han ønsket at jeg skulle bli en "Josva" for Jack Winter. I de neste femogtjue år har Denise og jeg i første omgang fått være hans disipler, men så ble vi etter hvert henholdsvis en åndelig sønn og en datter for ham. På samme måte som Josva i sitt eget liv tok opp i seg alt Herren hadde talt til Moses, forsøkte jeg å gjøre alt Herren hadde talt til Jack, til mitt eget. Før Jack døde, la han hendene sine på meg og ba om at jeg måtte få del i den samme salvelse som hadde dekket ham som en kappe. Jeg forsøker å fortsette i hans fotspor, på samme måte som Josva etter Mose død, å gå inn et land på den andre siden av elven fra punktet der Jack krysset den.

Jeg ønsker i dyp hengivenhet å takke John og Sandy Randerson, Jan og Sandra Rijnbeek, min kone Denise og mine barn, Jack Winter (på nytt) samt noen få andre som hele veien har trodd på meg, og som har støttet meg og båret meg når jeg ikke har vært i stand til å stå på egne ben.

Jeg ønsker å takke Stephen Hill for alle de arbeidstimer han har nedlagt i forbindelse med redigeringen av denne boka; uten hans medvirkning ville boka ikke ha blitt realisert. Takk også til Wilson og Erica Sze for all oppmuntring de har gitt meg og for at de har stått på for å få boka trykt.

Jeg ønsker å takke alle i Fatherheart Ministries International for fellesskap og oppmuntring på vår felles vandring der vi sammen litt etter litt har fått lære Fars kjærlighet mer å kjenne.

Til slutt – og her strever jeg med å ordlegge meg – jeg tror ikke det er mulig å utrykke i ord min takknemlighet til vår Gud og Far for hans underfulle plan for mitt liv og for hvordan han har hjulpet meg å finne og realisere den. Han var hos meg før jeg ble en kristen, og etter at jeg ble en kristen har han vært trofast hele veien – uten å la seg påvirke av om det har gått godt eller dårlig for meg. Han helt enkelt bare elsker meg.

FORORD

I 1977 fikk Jack Winter se noe som skar igjennom alle de ulike forgreninger og uttrykksformer som gjorde seg gjeldende innen kristenheten på denne tiden. Det var et flammende glimt av rent lys. Han så inn i dypet av Guds farshjerte. Etterdønningene av det han så har inntil denne dag ikke opphørt med å virke inn på hele den kristne kirke.

Jack og Dorothy Winter hadde inntil de fikk denne visjonen, levd et uhyre spennende liv. Fylt av Den hellige ånd og tro hadde de vært på reise inn i ukjent land, de hadde gitt avkall på denne verden med dens bekymringer og viet seg til Ordets og Åndens tjeneste på et nivå som man sjelden ser i våre dager. Innen lang tid var gått sluttet hundrevis av mennesker over hele verden seg til dem i en organisasjon som gikk under navnet "Daystar Ministries". Det var innenfor rammen av dette nettverket med selvstendige fellesskap at Jack fikk se inn i Fars hjerte.

I de gjenværende femogtjue år av sitt liv overgav Jack hele sin dyptpløyende erfaringsbakgrunn og alle de gaver og ressurser som sprang ut fra hans rike indre liv, fullt og helt til tjenesten med å formidle Guds kjærlighet. Han hadde forstått at denne kjærlighet faktisk var en substans og at den kunne overføres til andre mennesker og helbrede de sønderknuste. Han reiste på kryss og tvers over hele kloden, tilbakela millioner av mil på sine flyreiser og brukte hver eneste dag, fra morgen til kveld, til å fengsle tusenvis av mennesker med sitt budskap om Guds forløsende kjærlighet; og som følge av dette fikk han også se hvordan Gud på underfullt vis fikk komme til med sin helbredende kraft. Jeg var én av dem som fikk høre dette budskapet. Jack hadde fått se at Guds farskjærlighet

11

er en virkelighet – og at denne sannhet er selve høydepunktet i den nytestamentlige åpenbaring.

Denne boken er beretningen om min reise i retning av og inn i dette lyset. Jack var en åndelig far for meg, og før han døde i august 2002, la han hendene sine på meg og ba om at jeg måtte få overta hans salvelse. Men selv den flammende åpenbaring av Fars kjærlighet som han hadde mottatt, var bare en delvis åpenbaring. Det finnes alltid noe mer. Denne boka er mitt vitnesbyrd om hvordan jeg har funnet fram til Far. Han har fylt mitt hjerte med sin kjærlighet slik at jeg ikke lenger bare regner meg som en kristen, men får leve mitt liv som en Guds sønn. Men dette har vist seg bare å være det første skritt. Det som gjør livet som en Guds sønn så usigelig spennende, er at det alltid er mer å hente. (James Jordan, Taupo 2012).

KAPITTEL 1

Åpenbaringen av Far

~

I løpet av de siste femten år har jeg reist jorda rundt mer enn femogtretti ganger, jeg har talt på uttallige konferanser og i en lang rekke menigheter og delt budskapet om at Gud har åpenbart seg som Far. Jeg føler ofte at Herren tar meg med rundt i hele verden kun for å fortelle folk om det som har hendt i mitt eget liv. En gang var det en som sa til meg, "James, det virker som om du tror at Fars kjærlighet er svaret på alle menneskehetens problemer." Tror jeg virkelig det? Ja, jeg tror det av hele mitt hjerte.

Jo mer jeg fordyper meg i denne åpenbaringen av Fars kjærlighet, jo mer innser jeg at det er behov for en fullstendig fornyelse av kristendommen. Vi har hatt en form for kristendom som er alt for fokusert på hva du må gjøre, og ikke på hvem Gud er og hva han har gjort! Mange av oss har fått med oss i bagasjen en falsk forståelse av evangeliet. Vi er blitt fortalt hva vi må gjøre på eget initiativ, og ikke hva Gud har gjort på *Sitt* initiativ. Vi er blitt fortalt at vi er blitt velsignet, for at vi kan bli til velsignelse for andre. Den enkle kjensgjerning er at vi er blitt velsignet fordi Gud elsker oss og fordi han bare lengter etter å velsigne oss. Vi har fått presentert et evangelium som forteller oss at vi må arbeide for Gud – men jeg forteller deg at det, når det kommer til stykket, vil få deg til å bryte sammen og bli utbrent. Flere og flere kristne velger å trekke seg vekk fra denne form for kristendom og å komme seg ut av den tredemøllen som handler om stadig vekk å forsøke å være Gud til behag og arbeide for ham.

Det kristendommen i bunn og grunn handler om er følgende: Gud elsker deg og han ønsker at du gjennom hele livet alltid skal få erfare at han elsker deg. Det er hele poenget med kristendommen. Når vi innser dette, blir vi ført inn i en hvile og en form for tilfredshet og indre fred som er så smittsom at mennesker vil bli berørt av det, bare i kraft av hvem vi er. Vi befinner oss midt i en fornyelse, en reformasjon og en gjenopprettelse av kristendommen som, slik jeg ser det, er like betydningsfull som den protestantiske reformasjon.

Å KJENNE JESUS ER IKKE DET SAMME SOM Å KJENNE FAR

Svært meget av det inntrykket jeg i årenes løp har fått av kristendommen, dreier seg om at alt er sentrert rundt Jesus. Far er faktisk bare nevnt i forbifarten. I virkeligheten synes vår Far å være i bakgrunnen sammenlignet med personen Jesus. Vi har fått det for oss at dersom vi har fått et møte med Jesus og kjenner ham, så vet vi automatisk hvem Far er. Det bibelverset folk bygger denne misforståelsen på, er Joh 14,7. Her sier Jesus, "Har dere kjent meg, skal dere også kjenne min Far. Fra nå av kjenner dere ham og har sett ham." Men vi må huske på at Jesus *ikke* er Far og at Far *ikke* er Jesus. Så Jesus sa *ikke,* "Jeg er Far. Han sa at hans Far var i ham og gjorde sine gjerninger gjennom ham. Han talte ord som hans Far ba ham om å si. Han sa, "Jeg gjør bare det min Far har bedt meg om å gjøre," men Han sa *aldri* "Jeg *er* Far."

Alt vi lærer og underviser må være basert på Skriften. Dersom vi får en åpenbaring som ikke er basert på Skriften, så er det ikke en åpenbaring fra Gud. Det må likevel sies at det å vandre i samsvar med Skriften ikke nødvendigvis er det samme som å vandre med Gud. Dersom du vandrer med Gud, vil du *automatisk* vandre i samsvar med Skriften. Vi vandrer i Ånden, ikke i Ordet, men Ånden vil aldri lede deg inn i noe som ikke Skriften stadfester. De skrev det! Hvilket kildemateriale hadde de? De vandret i Ånden og Ånden gav dem Ordet de skrev ned.

Jeg leste en gang et utsagn av Andrew Murray som gjorde sterkt inntrykk på meg og som har bidratt til at jeg har satt meg fore å skrive denne boken. Han skriver, *"Slik Far elsket Jesus, slik vil han også elske oss."* Det området i kristenlivet vårt der vi aller mest kommer til kort, er nemlig at vi, selv når vi setter vår lit til Jesus, stenger Far ute. *Men Kristus kom for å føre oss til Gud vår Far.* Det er hele poenget ved at Jesus kom til jorden – for å føre oss til Far.

Andrew Murray utdyper dette slik: *"Jesu liv i avhengighet av sin Far var et liv i Fars kjærlighet."* Jeg elsker dette utsagnet! Grunnen til at han var i stand til å stole på sin Far, var at han visste at han kunne stole på denne kjærligheten. I alt som skjedde i Jesu liv, stolte han fullt og fast på sin Far og underordnet seg ham. Og det jeg elsker mest av alt er når Murray skriver, *"Slik Far elsket Jesus, slik vil han også elske oss."* Hvilken plass hadde Fars kjærlighet i Jesu liv? Hvor viktig var Fars kjærlighet for Jesus? Du kommer ikke utenom at den betød alt! Han frydet seg over å gjøre sin Fars vilje. Han levde i erfaringen og vissheten om at Far elsket ham. Han var i sin Fars skjød, og hadde fra evighet av sin plass der i sin Fars hjerte. Det var hans sted.

Jeg tror at vi i dag ser at en åpenbaring er i ferd med å feie inn over hele verden, som en understrøm i havet som kommer til å skylle opp over strendene som en tsunami. Det dreier seg om at Gud som Far på nytt får sin rettmessige plass i enhver kristens liv.

Derek Prince har i en kommentar til Joh 14, 6 (der Jesus sier, "Jeg er veien, sannheten og livet. Ingen kommer til Min Far uten ved Meg"), sagt det slik: "Dette verset taler om en vei og et mål. Jesus er veien, Far er målet." Og så bemerker han, "Problemet i mesteparten av kirken i dag er at vi har gått oss vill på veien!" Vi har gått oss vill på veien! Vi har kommet til Jesus, men vi har ikke kommet inn i et intimt forhold til Far. En av grunnene til dette er at mange av oss ikke har hatt et intimt forhold til våre jordiske fedre. Når vi leser bibelvers som dette, er vi ikke i stand til å se hva de betyr. Vi utlegger vår teologi til bare å handle om Jesus. Jeg tror likevel at det Jesus ønsket å si, var: "Det handler ikke om meg. Det handler om min Far."

Vi befinner oss i en tid der kristendommens fundament er i ferd med å bevege seg bort fra å være en stol med to bein, for å si det slik, til å være en stol med tre bein. Vi har hatt en åpenbaring av Jesus og en åpenbaring av Den hellige ånd, og vi har basert vår kristne tro på disse to realiteter fordi denne åpenbaring *er* en virkelighet for våre hjerter. Men nå fører Gud oss inn i en åpenbaring av seg selv som Far. Og fordi Gud er kjærlighet, er det en kjærlighetserfaring. Den er basert på en personlig og intim invasjon av Fars kjærlighet inn i våre hjerter. For mange mennesker oppleves denne erfaring som en mektig strøm, mens den for andre kommer sivende inn litt etter litt. Det spiller ingen rolle hvordan den kommer, så lenge den bare kommer. I virkeligheten kommer en åpenbaring ofte til oss som morgendemringen, som når solen gradvis lyser opp en ny dag.

Som grunnlag for min utlegning av hvilken plass Gud som Far skal ha i en kristens liv, ønsker jeg å sitere noen ord av Augustin. Han uttrykker det slik, *"Hele Bibelen handler ikke om noe annet enn Guds kjærlighet. Dette budskapet underbygger og forklarer alle andre budskap."* Uansett hvilken kristen sannhet du måtte tenke på, så er det et uttrykk for Fars kjærlighet. En kristendom som mangler denne forståelsen og erfaringen av Fars kjærlighet, er en kristendom som mangler sitt egentlige fundament.

Dersom vi ikke har Fars kjærlighet som fundament, blir hele vår forståelse av hva det vil si å være en kristen, fullstendig feil. Selv korset er et uttrykk for Fars kjærlighet. Fars kjærlighet er ikke et uttrykk for korset. For så høyt elsket Gud verden at han ga sin Sønn, den enbårne, og når Jesus døde på korset, var det slik sett det sterkeste budskap man kan tenke seg om hvor høyt Gud elsker oss. Det taler om hvordan Guds kjærlighet i virkeligheten er. Hele poenget med kristendommen er at Far elsker oss, og korset fjerner alt som kommer imellom oss og denne kjærligheten, slik at vi med frimodighet kan tre fram for nådens trone og krabbe rett opp i hans fang og få kjenne at han er vår Far. Vår kristendom blir helt forvrengt dersom vi ikke forstår at Fars kjærlighet er den åpenbaring som underbygger og forklarer alle andre budskap.

Augustin sider videre, "Dersom Bibelens skrevne ord kunne bli omgjort til ett eneste ord og tales ut med en eneste røst – så ville denne røsten rope ut med en kraft sterkere enn havets brølende bølger, 'Far elsker deg!'"

Du forstår, vi vet ikke noe om det vi ikke kjenner! Dersom vi ikke kjenner Gud som Far, så vet vi det ikke. Vi kan kjenne alle dogmer og kan til og med undervise folk om hva det vil si å kjenne Gud som Far uten personlig å kjenne ham som en far. Når vi får en åpenbaring om dette, endrer det hele vårt perspektiv så sterkt at vi, uten en gang å tenke på det, automatisk begynner å tiltale Gud som "Far!" Vi kan kjenne til hva Bibelen sier *om* Gud som Far, og vi kan tenke at det å kjenne Skriftene er ensbetydende med å kjenne Far selv! Vi vet ikke at vi ikke kjenner ham!

Vi lever i dag i en tid der Gud åpenbarer seg selv som Far på en måte som er uten sidestykke helt fra apostlenes dager. Uansett hvilke kunnskaper vi har skaffet oss og hva vi har erfart med Gud tidligere, står Guds kjærlighet til oss som Far fortsatt til vår rådighet i et omfang vi ikke kan forestille oss. Dersom vi evner å åpne våre hjerter for denne kjærlighet, vil han forvandle hele vår erfaring av hva det vil si å være en kristen, slik at den blir noe langt større enn vi har kunnet drømme om. Kristenlivet begynner i virkeligheten å fungere først når vi får erfare hva vi kan ta imot som følge av Jesu død på korset – Fars kjærlighet!

La meg begynne med å fortelle om hvordan jeg selv fikk del i denne åpenbaringen. Da Denise og jeg tok imot Herren i 1972, kom vi fra en fullstendig ikke-kristen bakgrunn. Vi hadde ikke hatt noen som helst kontakt med kristne mennesker og miljøer. Bygningen som lå nærmest huset der jeg vokste opp, var en liten kirke et stykke opp i åssiden. Jeg pleide å se folk komme og gå til og fra kirken. Noen av dem var skolevenner av meg, men jeg hadde ingen begreper om hvorfor de ønsket å tilbringe en vakker søndags formiddag i en kirke. Jeg forsto det simpelt hen ikke. Jeg hadde ikke en gang hørt noen snakke om å "bli født på ny."

Like før jeg fylte toogtjue år, ga jeg livet mitt til Herren. Min frelsesopplevelse medførte en enorm forskjell i livet mitt, fordi jeg som gutt og gjennom oppveksten hadde vært en usedvanlig ensom person. Vi bodde på et lite tettsted på landsbygda og mesteparten av tiden hadde jeg ingen å leke med. De nærmeste guttene på min egen alder bodde minst en halv mil fra huset vårt, så etter skoletid og i helgene pleide jeg å streife omkring alene på engene og bondegårdene i omegnen. Jeg pleide ofte etter skoletid å vandre omkring for meg selv oppe på de nærmeste åsene inntil mørket falt på, så jeg fant veien hjem igjen på tvers av åkrene, jeg krysset kjerreveiene som forbandt bondegårdene og klatret over porter og gjerder, men jeg var hele tiden helt alene.

Da Jesus kom inn i mitt liv, midt i all min ensomhet, fikk det enorm betydning for meg. Med ett kom det en Person inn i mitt hjerte som elsket meg, og som følge av dette ble jeg nærmest forelsket i Jesus. Frelsesopplevelsen min var i bokstavlig forstand grensesprengende og herlig, den åpnet mine øyne for fargene som omgav meg. Aldri før hadde himmelen vært klarere og gresset grønnere.

FØDT INN I EN VEKKELSE

Da jeg ble frelst, begynte Denise og jeg å gå i en menighet som stod midt oppe i en vekkelse. Mange amerikanere bruker begrepet "vekkelse" på samme måte som når vi snakker om en "evangeliseringskampanje" med en rekke "vekkelsesmøter." Men vekkelse, slik jeg har lært meg å forstå dette begrepet, er en tilstand der Guds nærvær og kraft manifesterer seg så sterkt at mennesker opplever det på en høyst merkbar måte. Når en vekkelse oppstår, har det alltid en helt avgjørende virkning på hvordan vi opplever hva kristendom handler om. Når Guds nærvær viser seg med ekstrem kraft, har vi å gjøre med en sann vekkelse. Det handler om en overveldende forløsning av Guds nærvær på et spesifikt geografisk sted.

Under denne vekkelsen skjedde det utrolige saker og ting i denne menigheten. Det var en ung kvinne som ønsket å lære seg å spille piano for å lede lovsangen, men hun hadde aldri fått en eneste time med pianoundervisning i hele sitt liv. En dag da hun satte seg ned ved pianoet, ba én av diakonene for henne, og hun ble straks i stand til å spille i en hvilken som helst toneart. Bortsett fra når hun akkompagnerte lovsangerne, kunne hun ikke spille piano. Først seksten år senere begynte hun å få pianoundervisning, bare for å oppdage det hun hadde gjort gjennom alle disse årene.

Noen ganger så folk Jesus rent fysisk for sine øyne, midt i forsamlingen, han gikk opp og ned mellom benkeradene og la hendene på folk når han passerte dem. Mange mennesker fikk noen ganger den samme visjonen samtidig under møtene. Én av eldstebrødrene pleide som regel å starte med å ønske folk velkommen for deretter å invitere Den hellige ånd om å komme, og så lot vi det som skjedde, bare skje. Fordi Den hellige ånd var så kraftfullt til stede, hadde vi i en femårsperiode ikke behov for noen pastor eller leder på møtene. Det var en helt spesiell tid. Den la ned i meg en hunger etter å få oppleve vekkelse kontinuerlig, og etter det har jeg hatt en forventning og et håp om at det kanskje vil skje på nytt i dag. Vi kan likevel ikke få det til å skje. Det er fullt og helt opp til Herren.

Når jeg tenker tilbake på den tiden, innser jeg også noe annet. Når Guds Ånd manifesterte seg så kraftfullt, trakk jeg den feilaktige slutning at det var fordi undervisningen var helt feilfri, at Han beæret menigheten vår med sitt nærvær. Gjennom hele historien har mange folk trukket den samme feilaktige slutningen. Vi forestiller oss at dersom vår fortolkning og utlegning av Skriften er helt korrekt, så vil han komme og bekrefte det med sitt manifesterte nærvær. Men det er slett ikke sant! Den forestillingen har faktisk skylden for mye av den uenighet og splid som preger kristne i dag. Han kommer ikke til oss fordi vi underviser den rette lære, men snarere for å *korrigere* undervisningen.

Under denne vekkelsen opplevde vi uansett hans nærvær på en utrolig sterk måte, søndag etter søndag, år etter år, og folk kom til møtene fra hele verden. På et tidlig tidspunkt bestemte eldsterådet seg for å arrangere en konferanse. Det eneste stedet i byen som var stort nok til å romme alle dem som strømmet til møtene, var den lokale travbanen; der var det en stor tribune, og mange mennesker kom til møtene for å høre på forkynnere som på den tiden var regnet som de beste i hele verden. Det var en enorm velsignelse for oss å få lytte til disse internasjonale forkynnerne og få oppleve salvelsen som preget møtene. Men fordi jeg forestilte meg at Gud utøste sin velsignelse fordi undervisningen var plettfri, slukte jeg absolutt alt som ble sagt og forkynt uten motforestillinger. Det falt meg aldri inn å stille spørsmål ved forkynnelsen, og jeg regnet med at alt som ble sagt, var hundre prosent sant.

Jeg minnes en spesiell taler på konferansen som forkynte et budskap som virkelig gjorde sterkt inntrykk på meg og som jeg tok til meg uten motforestillinger. Han talte ut fra teksten der Jesus tok Peter, Jakob og Johannes med opp på Forklarelsens berg. Han snakket om hvordan Jesus ble forklaret, hvordan hele hans skikkelse ble forvandlet og kledd i Herrens herlighet og at han (i det minste til en viss grad) viste seg for dem slik han hadde vært i evigheten. Midt i alt dette viste også Moses og Elia seg for dem sammen med Jesus. Far talte til dem fra en sky, *"Dette er min Sønn, den elskede. Hør ham!*" Og de tre disiplene kastet seg ned med ansiktet mot jorden, grepet av stor frykt. Etter en stund så de opp, og da så de *"ingen andre enn ham, bare Jesus."* Moses og Elia hadde forlatt dem og Jesus så igjen ut slik som han pleide.

BARE JESUS

Hele poenget med budskapet til denne taleren kan oppsummeres i disse to ordene, "Bare Jesus." Det han sa, var, "Vi skal ha blikket festet på Jesus og på ham alene. Han er troens opphavsmann og fullender, alfa og omega, begynnelsen og enden. Under himmelen er det ikke gitt menneskene noe annet navn som vi kan bli frelst ved. Han er hodet på kroppen som er menigheten. Han er brudgommen. Han er alt og hans navn er over alle andre navn." Det handlet bare om Jesus og om ham alene!

Fordi Jesus hadde frelst meg og jeg hadde hatt en så sterk frelsesopplevelse, sa alt som var i meg "Amen" når han forkynte dette budskapet!" Hver gang jeg ba, henvendte jeg meg alltid til "Jesus, min Herre." Alt handlet om Jesus. Lovsangen dreide seg bare om Jesus. Sangene vi sang handlet bare om Jesus.

Noen ganger tok de med et sangvers om Den hellige ånd eller om Far, men alt var likevel rettet mot personen Jesus og jeg tenkte at det var han som var kristendommens midtpunkt.

HAR DU TATT IMOT FARS KJÆRLIGHET?

Noen år senere gikk vi på bibelskolen, og da kom det en mann ved navn Jack Winter til New Zealand for å tale på en konferanse på skolen vår. Jack begynte å tale om Far og det var på den tiden han begynte å få en sterkere åpenbaring om Far. Vi hadde aldri tidligere møtt noe menneske med en slik salvelse fra Gud som Jack Winter. Vi var blitt eksponert for mye herlig forkynnelse, men når Jack Winter talte opplevde jeg for min egen del at det var som om Jesus selv talte. Det gikk utover alt annet jeg tidligere hadde hørt.

Jack pleide å uttrykke det slik: "Mange mennesker forkynner evangeliet, *men vi gir dem en mulighet til å leve det ut.*" Det var et sterkt utsagn. For å bli en del av Jacks tjeneste var folk villig til å selge alt de eide og gi det til de fattige eller å legge det ned ved apostelens føtter og sammen med andre medkristne slutte seg til en bevegelse som den gang gikk under navnet Daystar Ministries. Det var den reneste trosbevegelse jeg noensinne hadde møtt. Det hendte at to hundre personer på basen ikke hadde noe som helst mat til det neste måltidet, og da satte vi helt enkelt i gang med å be. Én ting er å be og å gå i forbønn for noe, men når du har behov for mat på bordet om to timer, så får du et helt annet virkelighetsperspektiv på hva du holder på med når du ber.

Åpenbaringen av Far som Jack hadde begynt å få under konferansen på New Zealand, var nå i full blomst, og han hadde begynt å se at dersom folk fikk erfare Fars kjærlighet, ville de også bli følelsesmessig helbredet. Det var en herlig tid. Omkring fire hundre familier søkte om å få bli en del av bevegelsen hans det året. Over hele USA var det blitt etablert tolv baser med i alt omkring seks hundre fulltids arbeidere. Likevel styrte Jack det hele fra en liten kontorpult ved siden av sengen sin. Han var absolutt ingen pompøs lederskikkelse.

Da vi ankom basen, var alle veldig begeistret over denne åpenbaringen av Fars kjærlighet og de spurte meg straks, "Har du tatt imot Fars kjærlighet?" Jeg ble skikkelig fornærmet over et slikt spørsmål! Jeg var tjueåtte år gammel og følte at vi skulle bruke resten av våre liv i Jacks tjeneste. Jeg kom rett fra bushen i New Zealand, folk flest ville vel si at jeg kom rett fra jungelen. På New Zealand går bushen drøye tusen meter oppover i fjellet og viddene oppe på åsene ligner på bølgende sjøer med gyllent gress. Disse åsene er ubeskrivelig vakre å ferdes i, og jeg kom direkte fra livet i det fri i denne naturen, jeg var en sprek og sterk ung mann. Jeg var vant til å leve der oppe i åsene, jeg sov under åpen himmel, jeg sanket ved til leirbålet der jeg stelte i stand måltidene mine, og jeg var blitt herdet av denne måten å leve på. Og nå spurte folk meg, "Har du tatt imot Fars kjærlighet?"

I mitt indre svarte jeg lett irritert på dette spørsmålet, "Hør her, jeg er fylt med Den hellig ånd. Jeg har allerede plantet en menighet. Jeg har gått på bibelskole. Jeg kan profetere, kaste ut onde ånder, helbrede de syke og forkynne evangeliet på gata. Jeg kan gå i klinsj med demoner. Jeg er en Guds mann! Gud har kalt meg til å være en profet, til å bli en skarp treskemaskin som skiller klinten fra hveten og det åndelige fra det sjeliske! Mine ord vil få folk til å falle ned på sine knær! Min forkynnelse vil skille ut synderne fra de rettferdige og tale inn i mange menneskers liv! Jeg er kalt til å være en profet. Jeg synes ikke noe om dette "kjærlighetspreiket." Hva mener dere egentlig med dette spørsmålet, 'Er jeg fylt med Fars kjærlighet?'"

DET FØRSTE LYSET

Etter at vi hadde vært der et par måneder, fikk jeg helt uventet en tanke. Jeg husket at da jeg var fire år, pleide moren min en kort periode (hun måtte ha hatt et møte med Herren i sitt liv på den tiden) å ta broren og søsteren min og meg med inn på soverommet sitt om kvelden, og så knelte vi ned foran en liten kiste der hun hadde stilt opp et kors og en lysestake. Hun tente et lys i staken og så lærte hun oss Herrens bønn. Senere i livet var ikke søsknene mine i stand til å huske dette, men jeg husket det godt fordi jeg fra da av bestemte meg for å be Vår Far hver kveld når jeg gikk til sengs. Jeg pleide å lukke øynene, og så ba jeg Vår Far for meg selv i mitt indre. Mot slutten av bønnen pleide jeg alltid å be, "Gud, velsign mamma og pappa, broren min Bob og søsteren min Sylvia, og Gud, la meg få vokse opp sunn og frisk, få en lykkelig familie og en god jobb." Jeg ba den bønnen hver kveld. Noen kvelder glemte jeg det, men da ba jeg bønnen to ganger den neste kvelden! Jeg hoppet ikke over en eneste kveld.

I løpet av de første månedene på Daystar minnet Herren meg om at da Jesus lærte disiplene sine å be, så lærte han dem å si, "Vår Far." Jeg innså at jeg hadde bedt den bønnen fra jeg var fire til jeg var omkring fjorten år gammel! Jesus lærte disiplene sine å be til sin egen Far. Nå var jeg i stand til å se at Jesus helt fra begynnelsen av ledet disiplene inn i en direkte relasjon med Far, og ikke bare med seg selv. Det var så å si den første sprekken som ble slått inn i budskapet jeg tidligere hadde hørt om "Bare Jesus". Jeg begynte å innse at kristendom ikke bare handlet om Jesus.

Du forstår, når folk pleide å si til meg, "Har du tatt imot Fars kjærlighet?" så stilte jeg meg selv spørsmålet, "Hvorfor snakker dere om Far? Det dreier seg om Jesus og ham alene! Han har det eneste navn under himmelen som vi kan bli frelst ved. Han er Herre over alt og alle. Han er Kongenes konge. Det handler bare om ham. Han er den som har frelst oss, han er den som døde på korset." Jeg forsto ikke at Far i dypeste forstand også døde på korset; jeg bare fortsatte å si, "Det handler bare om Jesus!"

Jeg følte at dersom jeg hadde en relasjon med Far, så var jeg illojal mot Jesus. Jeg tenkte med meg selv, "Hvordan kan jeg etter alt Jesus har gjort for meg, vende ryggen til ham og ha en relasjon med Far?"

Det var virkelig en kamp for meg. Det er selvsagt ikke det saken dreier seg om, men det var slik jeg følte det. Minnet om å ha bedt "Vår Far" som barn, var den første kilen inn i det forsvarsverket jeg hadde bygget opp i meg. Jesus ba faktisk disiplene sine om å snakke til Faren sin. Han sa,

"Men når du ber, skal du gå inn i rommet ditt og lukke døren og be til din Far ..." (Matt 6,6).

Plutselig tenkte jeg, "Å, det *er* noe i dette som har med Far å gjøre. Det *er* legitimt å forholde seg direkte til Far. Jeg var i ferd med å få litt tak på det hele.

Å TILBE FAR

Noen måneder senere kom det en ny sprekk i muren. Jeg kom til å huske på en tid noen år tidligere da jeg gikk på bibelskolen. Der hadde vi en bibellærer fra USA som hadde med seg hele familien sin under oppholdet på New Zealand. Denne karen tilbrakte sju år på bibelskolen og han underviste om Johannes-evangeliet. Jeg minnes at vi noen ganger etter å ha hørt ham undervise, ikke gikk, men nærmest svevde ut av klasserommet! Ærefrykten og tilbedelsen som preget undervisningen hans var til en utrolig velsignelse for oss. Han tok oss igjennom hele Johannes-evangeliet vers for vers i et helt år. Mot slutten av året ba han oss om unnskyldning for at han bare hadde kommet til det sekstende kapittel! Det var et utrolig år der vi fikk skue dypt inn boken til Johannes.

Men da vi kom til det fjerde kapittel, sa han, "Vi skal se på dette kapitlet på en annen måte. I stedet for at jeg underviser, skal jeg gi hver av dere ett eller to vers som dere skal grunne på, for så å komme tilbake og presentere det dere har lært for klassen." Da han sa det, håpet jeg straks at han ville gi meg et helt spesielt vers. Jeg tenkte at hvis jeg fikk det verset, ville jeg ikke behøve å jobbe med oppgaven fordi jeg allerede hadde fått et særskilt lys over det verset. Jeg hadde det så travelt, og dersom jeg fikk det spesielle verset, ville jeg slippe å jobbe med oppgaven og i stedet få mye ledig tid til å holde på med mine egne saker.

Så delte han ut noen vers til hver av studentene i klassen og han ga meg nøyaktig det verset jeg hadde håpet på. Det var Joh 4,23, men når jeg tidligere hadde studert dette verset, forestilte jeg meg at det lød slik, "Men den time kommer, ja, den er nå, da de sanne tilbedere skal tilbe Gud i ånd og sannhet. For slike tilbedere vil Gud ha." Det er ikke akkurat slik verset lyder, men det var slik jeg *tenkte* at det lød. Jeg var så tilfreds med at jeg hadde fått det verset jeg ønsket meg. Jeg så ikke noe behov for å studere det mer inngående. Til slutt var det min tur til å dele med klassen hva jeg hadde fått ut av å fordype meg i dette verset. Jeg følte meg sikker på at jeg gjorde en god jobb når jeg delte min forståelse av verset med de andre i klassen, og jeg fikk også bekreftet det ved at noen av studentene kom opp til meg etterpå og komplimenterte meg for det jeg hadde delt.

Fordi jeg mente å vite hva tilbedelse dreier seg om, handlet det jeg delte om å "tilbe i ånd og sannhet". Tilbedelse handler om at din ånd forsøker å komme ut av munnen din, som et fullkomment uttrykk for kjærlighet og beundring. Det innebærer ikke noen tankevirksomhet; det handler bare om du i din ånd kopler deg opp mot Gud. Jeg hadde oppdaget at man ikke kan lære seg å tilbe og lovsynge. Tilbedelse er en naturlig respons på Guds nærvær. *Det* er tilbedelse i ånd og sannhet! Og det var dette jeg delte som min åpenbaring omkring dette ordet.

Ti år senere oppdaget jeg hva dette verset *egentlig* betyr. I verset sier Jesus i virkeligheten følgende:

"Men den time kommer, ja, den er nå, da de sanne tilbedere skal tilbe Far i ånd og sannhet. For slike tilbedere vil Far ha."

Inntil da hadde mitt fokus i tilbedelsen vært rettet mot personen Jesus og mot ham alene. Alle lovsangene vi pleide å synge på den tiden, ja selv i dag, er fokusert 'bare på Jesus.' Vi tar på oss armbånd med bokstavene WWJD (What Would Jesus Do/Hva ville Jesus ha gjort?). Vi synger "It's all about You, Jesus". På sett og vis tenker jeg at Jesus ikke ville ha sagt seg enig i et slikt utsagn. Jeg tror Jesus ville ha sagt, "Det handler *faktisk* bare om min Far."

Selvsagt er det ikke galt å tilbe Jesus. Noen av de sterkeste versene i Bibelen om tilbedelse handler om personen Jesus, særlig i Johannes åpenbaring, der de eldste kaster sine kroner ned for ham og løfter Guds lam opp i tilbedelse og lovsang. Men mitt poeng i denne sammenheng er det Jesus *selv* sa, "De sanne tilbedere skal tilbe Far i ånd og sannhet." På den tiden da jeg leste dette verset, kunne jeg ikke se for meg at jeg ville være i stand til å si, "Jeg tilber deg, Far," eller "Jeg elsker deg, Far." Det sjokkerte meg at disse ordene hadde vært så fjernt fra mine tanker, men jeg måtte jo erkjenne at det var Jesus selv som uttrykte seg slik. Jeg begynte å innse at Far faktisk skal ha en særskilt plass i våre liv! Mitt fokus på "Jesus og ham alene" var i ferd med å endres.

Samtidig med at denne åpenbaringen i våre dager har begynt å få innpass i menighetene og vi har begynt å se Far på nytt, er det folk som strever med det samme spørsmålet, og de kommer ofte med kritikk om at "det ser ut til at dere bare henvender dere til Far og forbigår Jesus." La meg få si det helt klart. Vi forbigår på ingen måte

Jesus. Den eneste *vei* til Far går gjennom Jesus og det er bare i Ham at vi kan ha en relasjon med Far.

VI ER I KRISTUS

Mange sier at vranglære, før den blir forkynt, ofte i første omgang kommer til uttrykk i salmer og sanger. Jeg skulle ønske at folk som skriver kristne sanger kunne ha rådført seg med noen med bibelsk innsikt. Ofte synger vi sanger som står helt i motsetning til det Bibelen lærer, og likevel synger vi ofte disse sangene mer enn vi leser Bibelen. Det er for eksempel en gammel salme hvor det bl.a. er tale om "... å vandre med Jesus, verdens lys." Mange sanger handler om å "vandre med Jesus," men det er faktisk ikke en bibelsk tanke.

Vi vandrer ikke med Jesus. Vi er i Kristus og Han er i oss. Våre liv er så å si blitt oppslukt i Hans liv. Vi er døpt til Ham og nå "... *lever jeg ikke selv, men Kristus lever i meg. Det livet jeg nå lever som menneske av kjøtt og blod, det lever jeg i troen på Guds Sønn, som elsket meg og ga seg selv for meg*" (Gal 2,20). Han er blitt mitt liv. Han lever *inni* meg og jeg er *i* Ham. Jeg er blitt døpt til Ham. Realiteten er at vi vandrer med *Far* i Kristus. I virkeligheten dreier det seg ikke om *min* relasjon med Far. Jeg har blitt en del av *Jesu* relasjon med *hans* Far.

JESUS ER VEIEN TIL FAR

Gjennom hele denne prosessen begynte jeg å se at det på grunn av hvem Jesus er og hvem jeg er *i* Ham, faktisk er bibelsk å ha en personlig relasjon med Far.

Og så begynte jeg å fordype meg i det fjortende kapitlet i

Johannes-evangeliet, og det er et kapittel det er vel verdt å grunne på fordi det inneholder noen sannheter som ofte blir misforstått. Jeg elsker versene som handler om de aller siste dagene før Jesus ble korsestet. Jack Winter har påpekt at det siste en person uttaler like før han skal dø, fortjener særskilt oppmerksomhet.

Jesus begynner med å si,

"La ikke hjertet bli grepet av angst. Tro på Gud og tro på meg! I min Fars hus er det mange rom. Var det ikke slik, hadde jeg da sagt dere at jeg går og vil gjøre i stand et sted for dere? Og når jeg har gått og gjort i stand et sted for dere, vil jeg komme tilbake og ta dere til meg, så dere kan være der jeg er." (Joh 14,1-3).

Jesus kunngjorde at han skulle gå bort, og likevel håpet disiplene på et jordisk kongedømme. Det var et skikkelig sjokk for dem å høre Jesus si "Jeg vil gå bort. Jeg vil forlate dere." Jeg kan tenke meg at de se på hverandre og sa, "Visste du dette? Jeg kom og fulgte etter ham fordi jeg trodde at han kom til å fordrive romerne. Vi har gitt våre liv til ham og forlatt jobben vår som fiskere. Vi så for oss at vi skulle gjenreise kongeriket på samme måte som makkabeerne, og at vi skulle bli soldater i en ny hær som skulle få en slutt på slaveriet og frigjøre Israel. Hva er det han snakker om *nå?*"

Men grunnleggende sett sa Jesus, "Nei, jeg går for å gjøre i stand et sted for dere, men dere kan ikke få bli med meg akkurat nå." Han fortsatte,

"Og dit jeg går, vet dere veien." (Joh 14,4).

Jeg minnes at det var tretti elever sammen med meg i klassen på skolen den dagen. Noen ganger sa læreren noe som ingen av oss forsto, men da var det ingen som sa noe, fordi ingen ønsket å stille et spørsmål som kunne få ham eller henne til å virke dum. Jeg forestiller meg at disiplene hadde en tilsvarende reaksjon da Jesus sa, "Dit jeg går, vet dere veien." Jeg ser for meg at disse karene så på hverandre og tenkte, "Vet du det? Har han fortalt det til deg? Han har ikke sagt det til meg. Var jeg kanskje fraværende den dagen? Hva er det han snakker om?"

Jeg er sikker på hver og en av dem skammet seg over å måtte innrømme at de faktisk ikke kjente svarene på disse spørsmålene. Tomas kom da med følgende troskyldige uttalelse, "Herre, vi vet ikke hvor du går. Hvordan kan vi da vite veien?" Jeg er så glad for at Tomas stilte dette spørsmålet, for om han ikke hadde gjort det, ville vi ikke ha hatt det neste verset som er ett av de mest betydningsfulle vers i Det nye testamentet.

"Jesus sier: 'Jeg er veien, sannheten og livet. Ingen kommer til Far uten ved meg.'" (Joh 14,6)

Han fortalte dem om veien og målet! Da han sa, "Jeg går og vil gjøre i stand et sted for dere ... så dere skal være der jeg er," sa han i virkeligheten at han at skulle gjøre i stand et sted for dem i Fars hjerte. Legg merke til at han *ikke* sa, "... *Dere vil være der jeg vil være*," men snarere, "*Dere vil være der jeg er*." Jesus levde fra evighet av i Fars favn, og selv mens han var på jorden, levde han *fortsatt* der. Joh 1,18 sier,

"Ingen har noen gang sett Gud, men den enbårne, som er Gud, og som er i Fars favn, han har vist oss hvem han er."

Det kommer en tid da verden bare vil lytte til dem som er i Fars favn, i hans kjærlighet. Og det fordi det bare er fra dette sted at vi virkelig kan si hvem Gud er, virkelig åpenbare ham for verden. Sønnekåret kommer til å overskygge alle andre aspekter ved kristendommen. Det bare *må* gjøre det, fordi det er bare da Guds menighet vil representere Guds Sønn fullt og helt.

FAR ER MÅLET

Jesus sa, *"Jeg er veien, sannheten og livet. Ingen kommer til Far uten ved meg."* Jesus er veien til målet. *Målet* er Far. Så tilføyde han,

"Har dere kjent meg, skal dere også kjenne min Far. Fra nå av kjenner dere ham og har sett ham."

Mange mennesker har med utgangspunkt i disse ordene trodd at dersom du har sett Jesus, dersom du har en erfaringsbasert og reell relasjon med ham, så har du automatisk også en relasjon med Far. De tror at man ikke kan noen egen erfaring med Far utenom kontakten med Jesus. Jeg ville ha vært tilbøyelig til å tro det samme om det ikke hadde vært for vers 8 og Filips spørsmål der,

"Da sier Filip: 'Herre, vis oss Far, det er nok for oss.'"

Det Filip i bunn og grunn sier er, "Jesus, jeg har observert deg gjennom de siste tre årene. Jeg kan se deg, men jeg kan ikke se Far! Vi ser at du har en relasjon med ham, men vi kan bare se deg. Vis oss *Far!"*

Jesus svarte,

"Kjenner du meg ikke Filip, enda jeg har vært hos dere så lenge? Den som har sett meg, har sett Far. Hvordan kan du da si: 'Vis oss Far'? Tror du ikke at jeg er i Far og Far i meg? De ord jeg sier til dere,

har jeg ikke fra meg selv: Far er i meg og gjør sine gjerninger. Tro meg: Jeg er i Far og Far i meg. Om ikke annet, så tro det for selve gjerningenes skyld."

Han forteller Filip at undrene i virkeligheten er tegn på Fars nærvær. I vers 7 sa han, "Hadde dere kjent meg, hadde dere også kjent min Far" (Bibelen – Guds Ord). Med andre ord, "Dere kan kjenne meg eller dere kan *virkelig* kjenne meg, og dersom dere *virkelig* kjente meg, ville dere også ha sett Far."

Sannheten, kjære leser, er at du kan ha en relasjon med Jesus – og likevel ikke "se" Far i det hele tatt.

FAR MÅ BLI ÅPENBART AV JESUS

La meg si det på en annen måte. Jesus kom med et annet utsagn i Matt 11,27. Han sa,

"Alt har min Far overgitt til meg. Ingen kjenner Sønnen, uten Faderen, og ingen kjenner Far, unntatt Sønnen og den som Sønnen vil åpenbare det for."

Som ung mann berørte dette verset meg virkelig, fordi jeg tenkte at ensomhet er ensbetydende med at du ikke kjenner noen. Jeg oppdaget imidlertid at det at ingen kjenner *deg*, er en mer korrekt definisjon på ensomhet. Når du opplever at ingen i virkeligheten vet hva det vil si å være deg, da er du virkelig ensom. Ensomheten blir brutt når du lar et annet menneske få vite hvordan du har det og hvordan livet ditt virkelig er.

Da Jesus i dette verset sa, "Ingen kjenner Sønnen, unntatt Far," sa han i virkeligheten at Gud var den eneste som kjente ham fullt ut. Jesus bar på denne ensomheten gjennom hele sitt liv på denne jorden. Selv ikke hans egen mor forsto ham. Hun "grunnet på disse ordene i sitt hjerte," men hun forsto ham egentlig ikke. Og så snudde Jesus dette utsagnet rundt ved å si, "Ingen kjenner Far, unntatt Sønnen."

Dette var én av grunnene til at de jødiske lederne ble så rasende på ham og korsfestet ham. At denne Jesus fra Nasaret kunne påstå at han kjente Jahve bedre enn *dem,* de som utgjorde den religiøse eliten! Disse lederne hadde helt fra guttedagene tilbrakt hele sitt liv i templet og de hadde lært seg alt det er mulig å vite om Gud! De hadde levd kontinuerlig i denne atmosfæren, de hadde lært seg store deler av Skriften utenat, og dette definerte livsførselen deres slik at de aldri anså at de gjorde noe galt, alt sammen med den hensikt å lære Gud å kjenne og bli anerkjent av ham.

Nå kom altså denne tømmermannens sønn, som etter all sannsynlighet ble regnet for å være et uekte barn, til dem og sa, "Til tross for all deres kunnskap, kjenner dere i virkeligheten ikke Jahve. *Jeg er den eneste som kjenner ham.*" De må utvilsomt ha tenkt at han var gal, arrogant eller fullstendig kjettersk. Han fordømte hele det jødiske religiøse systemet ved å si at han var den eneste som hadde den rette forståelsen, den eneste som virkelig kjente Gud.

Og han hadde rett. De kjente kanskje *til* Gud, men de *kjente* ham ikke. Han var nemlig ikke født som en sønn av Adam, synden skilte ham ikke fra Gud. Ifølge Jesaja 59,2 skiller synden oss fra Gud, men Jesus var *født* syndfri! Han var ingen sønn av Adam. Han var blitt unnfanget av Gud selv i Marias skjød.

Gjennom hele sitt liv hadde han automatisk mulighet til å ha kontakt med Gud. Når han ba, åpenbarte hans Far seg for ham – *fra ånd til ånd.* Han måtte likevel leve det ut i tro på samme måte som oss, men han var intimt knyttet til Gud. Han var i utgangspunktet unnfanget av Ånden og var derfor fylt med Den hellige ånd fra unnfangelsen av.

Når han sa, "Ingen kjenner Far bortsett fra meg," så sa han i virkeligheten, "Hele den jødiske slekt og alle de som har lært alt om ham, kjenner ham faktisk ikke, men det gjør jeg!"

Han viste at han talte sant gjennom sine gjerninger og sine ord. Gjerningene han utførte, skulle være et tegn på Fars nærvær, ikke bare en demonstrasjon av hans kraft og autoritet. Miraklene hans bare understreket at kjærligheten Far har til oss er reell.

Da de religiøse lederne steilet over at Jesu var frekk nok, slik de så det, til å påstå at han kjente Gud, utdypet han det ved å si, "Ingen kjenner Far, unntatt Sønnen *og den som Sønnen vil åpenbare det for.*" Det han mente å si, var, "Jeg kjenner Far fordi jeg personlig er knyttet til ham, og ingen kjenner ham slik jeg gjør det, *men* jeg kan åpenbare ham for dere. Jeg kan åpenbare Far for dem jeg velger å åpenbare ham for." Far må bli åpenbart for oss av Jesus!

DET ER EN ÅPENBARING

Det finnes noe som handler om en åpenbaring av Far. Du kan ikke lære Far å kjenne bare fordi du lengter etter det. Du kan ikke lære Far å kjenne bare ved å tilegne deg et ord fra Skriften eller å tro det Skriften sier. Far må bli åpenbart for deg gjennom en særskilt åpenbaring, på samme måte som Jesus ble åpenbart for deg da du ble født på ny.

Du ble ikke født på ny ved din egen kraft. Du har ikke gjort noe som gjør deg fortjent til å bli frelst. Du bare ga gjensvar på Guds initiativ.

Omvendelse og tro er ikke i seg selv tilstrekkelig for å bli født på ny. Men når Gud ser at du i ditt hjerte fullt og helt omvender deg og tror på ham, sørger han for at det skjer en åndelig forvandling i din ånd og at du blir gjenfødt i ditt indre. Det er ikke bare fordi du tror det Bibelen sier og fordi du forsøker å gjøre det Bibelen lærer. Du blir en ny skapning på overnaturlig vis. Noe helt nytt blir født inni deg og du blir aldri mer den samme. Det er Gud som virker dette i ditt hjerte. Frelsen handler i virkeligheten om en åpenbaring av Jesus og det er Gud selv som gir oss denne åpenbaringen. Han viser oss Jesus.

Tilsvarende er det med Åndens dåp når Den hellige ånd blir åpenbart for din ånd. Den hellige ånds virkelighet, selve substansen i hans vesen, blir manifestert for deg i dypet av den du er i din ånd, og med ett bare vet du at Den hellige ånd er reell. Vi kaller det for å bli "åndsdøpt", eller å bli "fylt av Den hellige ånd", men i virkeligheten dreier det seg om at du i din ånd får en åpenbaring av at Den hellige ånd bor i deg. Når det skjer, får du del i en åpenbaring og det fører til at du automatisk lærer mange åndelige sannheter å kjenne.

Når du møter Jesus i frelsen, får du på overnaturlig vis del i mange åndelige sannheter og du tviler ikke et øyeblikk på at de er troverdige. Du vil *vite* at Jesus ble født av jomfru Maria. Hvordan kan du vite det? Ved Herrens åpenbaring, fordi det er slik Jesus er. Du vil vite at han ikke bare er én av Guds sønner. Han er Sønnen i bestemt form og du vet med full visshet at det ikke finnes noen annen sønn bortsett fra Jesus. Du har møtt ham i dypet av din ånd og du vet at det er en ubestridelig realitet. Mange martyrer led en grusom død fordi de ikke kunne fornekte at Jesus var blitt åpenbart for dem og at han var en virkelighet.

Dåpen i Den hellige ånd fører også med seg åpenbaringskunnskap om at han gir mirakuløs kraft. Samson rev ned søylene i templet. Elia løp fra hester og vogner for å komme tilbake til byen. Når Guds Ånd kommer over en person, får de også kraft fordi Guds Ånd forvalter Guds kraft. Guddommen tok personlig del i skapelsen av universet. Far tok initiativet, Han talte ut Ordet som er Jesus, og Den hellige ånd skapte, og slik samarbeidet hele treenigheten om skapelsen.

Dersom du ikke er fylt med Den hellige ånd, vil du forsøke å bortforklare mirakler og at de virkelig har funnet sted, men når du er fylt med Ånden, forholder alt seg annerledes. Da vet du det med full visshet fordi du har fått en berøring av en høyere virkelighet og lært den ene som har Guds kraft å kjenne.

ÅPENBARINGEN AV FAR

Å kjenne Far handler ikke bare om å gi sin tilslutning til en viss teologi med utgangspunkt i Bibelen, men om at Far selv blir virkelig for deg i din ånd og at hans kjærlighet blir åpenbart for deg mer og mer i ditt indre. Da Jesus sa, "Ingen kjenner Far, unntatt Sønnen og den som Sønnen vil åpenbare det for," snakket han om at Gud vår Far må bli åpenbart for oss i våre hjerter.

Når vi nærmer oss dette, trer vi inn på hjertets område fordi åpenbaring kommer til oss i våre hjerter. Jeg elsker dette fordi det ikke bare gjelder for de intellektuelle og for dem som har tilstrekkelig viljesstyrke til å gjøre det som forventes av dem. I virkeligheten står disse tingene for det meste i veien for å lære Gud å kjenne.

Jeg tror at Gud nå er i ferd med å utøse en åpenbaring av seg selv som Far på en måte som mangler sidestykke i kirkehistorien helt fra apostlene av. Hele poenget med kristendommen er å kjenne Far ved åpenbaring. Jesus er veien til Far. Åpenbaringen av Far er målet.

KAPITTEL 2

Hjertet er betydningsfullt

~

Jeg vil gjerne oppmuntre deg til å la Guds Ånd få gi næring til din ånd når du leser denne boken. Min lengsel er at Gud gjennom denne boken skal få gjøre en gjerning i ditt hjerte. Det er det jeg har for øye når jeg skriver. Gud kommer vanligvis ikke og fyller opp sinnet med nye læresetninger. Det han derimot gjør, er å komme og forvandle *hjertene våre*, fordi når hjertet ditt blir forvandlet, blir du et annet menneske. Uten å behøve å måtte gjøre noe mer, vil du handle annerledes og bli et annerledes menneske. Når hjertet ditt blir forvandlet, vil du *automatisk* handle annerledes.

Jeg er sikker på at du har lagt merke til at Bibelen ikke er skrevet som en lærebok. Den har ingen innholdsfortegnelse der de ulike emnene er skrevet inn med store forbokstaver i riktig rekkefølge. Gud har skrevet den i den hensikt at de bibelske sannheter kan bli oppdaget av dem som har øyne som ser og ører som hører. Jeg hørte en gang noen si at Gud elsker å bli funnet! På samme måte som en far som leker gjemsel med barna sine, har han planlagt at bare dem som vil komme og tilbringe tid sammen med ham, de som lengter etter å finne ham, vil oppdage ham.

Når vi leser Bibelen og søker ham der med hele vårt hjerte, vil han vise oss store og mektige ting som vi på forhånd ikke visste noe om. Det er når vi roper på ham, at han svarer! Sannhetene hans er skjult for dem som åpner Bibelen på slump en sjelden gang. Det er derfor han ikke har gitt oss sitt Ord som en lærebok tilfeldige observatører kan slå opp i. Sannhetene hans er skjult i ord som tilsynelatende ser ut som alle andre ord.

Jeg har oppdaget en kjernesannhet i Ordspråkene 4,23. Der står det, "Bevar ditt hjerte framfor alt du bevarer, for livet går ut fra det." I en annen oversettelse heter det, "Bevar ditt hjerte framfor alt du bevarer, for det er livets kilde." Dette verset står helt sentralt i vår undervisning, og jeg tror at det er ett av de viktigste utsagn i Skriften. Bibelen er full av slike kjernesannheter, som at "Gud er kjærlighet," eller at "Gud er Ånd." Disse skriftstedene inneholder bibelske hovedsaker – ja, de er kjernesannheter! Jeg tror virkelig at dette verset i Ordspråkenes fjerde kapittel er én av kristendommens kjernesannheter, og at den er blitt oversett av de fleste kristne i dag.

Du forstår, hjertet ditt er det viktigste du har, og alt du opplever at livet skal være, må du erfare gjennom hjertet ditt. Måten du fortolker livet på, måten du fortolker alt som skjer og hvordan det berører deg, er avhengig av hvordan du har det i hjertet ditt. Sannheten er at ditt sinn er ditt – følelsene dine er dine – men hjertet ditt er *deg!*

La meg beskrive det nærmere. En person kan si noe til to personer samtidig, og likevel kan den ene oppfatte det på én måte mens den andre kan oppfatte det på en helt annen måte. Personen som taler, kan bruke de samme ordene og si dem samtidig til begge to, og ikke desto mindre kan de bety to helt forskjellige ting for de to tilhørerne. Hvorfor er det slik? Det er fordi hjertene deres er blitt skrudd helt forskjellig sammen, og at de samme ordene kan bety forskjellige ting for forskjellige personer. To mennesker kan oppleve det samme blikket fra en person og tolke det helt forskjellig.

Du kan i virkeligheten si det slik at vi alle lever i hver vår verden fordi hvert av hjertene våre er blitt skrudd sammen for å oppleve livet på forskjellig vis. Når for eksempel en gutt som er blitt oppdratt av en voldelig far, hører ordet "far," vil hjertet hans automatisk låse seg. Han vil ikke lytte til det du har å si ham. Men når en gutt som har hatt en flott far, hører ordet "far," vil det straks fremkalle følelser som trøst og trygghet. To vidt forskjellige verdener!

Vi lever hver og en i vår egen verden ganske enkelt fordi hjertene våre er blitt forvandlet og påvirket av det vi har opplevd i livene våre. Familiebakgrunnen vår, stedet der vi har vokst opp, kulturelt betingede holdninger, skolegangen vår, våre intellektuelle evner, vår fysiske utrustning og de ulike relasjoner vi står i. Alt dette har virket inn på måten vi opplever livet i dag. Du er kanskje ikke en gang i stand til å sette ord på det du tenker, men du ser livet gjennom ditt hjertes linser.

HVORDAN VÅRE HJERTER KAN BLI FORVANDLET

Da vi ble kristne, ønsket vi å bli forvandlet og å bli mer lik Jesus. Men Gud lar ikke dette skje ved å oppdra sinnet ditt, eller ved å motivere deg til å treffe bedre beslutninger i menneskelig kraft. Det er ikke desto mindre slik kristen modenhet ofte er blitt presentert for oss. "Dersom du ønsker å forandre deg, må du gjøre på den eller den måten. Du må modnes. Du må vokse."

Den mest utbredte forståelsen om hva det vil si å være en disippel, slik vi ofte blir fortalt den i dag, lyder omtrent slik: *"Du må gjøre det og du må gjøre det"* eller, *"Du må slutte å gjøre det og du må slutte å gjøre det"* eller også, *"Du må utvikle disse atferdsmønstrene og oppføre deg slik og slik for å kunne bli forvandlet."*

Sannheten er at selv om du slutter å gjøre en nærmere bestemt handling, så vil det ikke forandre ditt sanne jeg, fordi det er hjertet ditt som avgjør hvem du virkelig er! Måten hjertet ditt er blitt berørt av livets erfaringer på, er bestemmende for hvem du er i dag.

Dette er også budskapet i Ordspråkene 4,23:

"Bevar ditt hjerte framfor alt du bevarer, for livet går ut fra det."

Alt du er, skyldes måten hjertet ditt er blitt formet på av livets omstendigheter. Du kan kanskje klare å endre oppførselen din gjennom din egen viljesbeslutning, men jeg kan fortelle deg hva som kommer til å skje. Du kan treffe de rette valgene og gjøre alt slik det forventes av deg. Du kan lære deg å smile på den rette måten og oppføre deg som en god kristen. Men en dag vil det skje noe i din verden, og da vil du brått vende tilbake til den du *virkelig* er, og du vil snakke det språket som du vet du ikke bør bruke. Eller du faller tilbake til en måte å tenke på og en måte å behandle folk på, som du bare vet er gal.

I en situasjon preget av ekstrem stress vil det som bor i hjertet ditt, komme ut av munnen din. Du sier til og med kanskje, "Jeg beklager, det var ikke meg." La meg fortelle deg sannheten ... *det er virkelig deg.* For når du er utsatt for press og stress, vil det som egentlig bor i hjertet få utløp gjennom det du sier og hvordan du sier det. Når alt er godt og du har det bra, kan du tale ut fra ditt sinn og vite hva som er rett å si, men i en presset situasjon vil du tale og handle ut fra ditt hjertes virkelige tilstand. Du forandrer ikke ditt sanne jeg bare ved å forandre handlingene dine. Virkelig og varig forandring springer ut fra et forvandlet hjerte.

Gud er, takk og lov, kontinuerlig opptatt av å endre hjertene våre. Det er så å si hans profesjon. Jeg elsker denne formuleringen; det er en vidunderlig sannhet. *Når Gud forvandler hjertet ditt, så vil den delen av hjertet ditt automatisk gjøre alt Gud ber deg om. Du vil automatisk bli slik en kristen bør være uten en gang å tenke på det, fordi det vil skje ut fra hjertet ditt.*

I den norske grenen av Fatherheart Ministries har vi et vidunderlig ektepar som heter Olav og Unni. De ble frelst på 1970-tallet, og dette virket meget sterkt inn på byen der de bor. En tredjedel av ungdommene i byen ble kristne. Vi møtte dem for omkring ti år siden da vi tjenestegjorde i menigheten deres, og de fikk da erfare en berøring av Fars kjærlighet på dypet. Alt Olav hadde strevd med å få til, å være "en god kristen ektemann," å være "en god pastor", opphørte da han fikk erfare Fars kjærlighet og fikk komme inn i hvilen. Fars kjærlighet har forvandlet livene deres.

Olav og Unni driver et ustrakt arbeid i Kenya. En kveld da de var på vei hjem fra et møte i Nairobi, kom ni unge menn imot dem; de slo dem ned og stjal alt de eide. Så etterlot de dem forslått og bevisstløse midt i en sølete vei i slummen i Nairobi. Da de gjenvant bevisstheten, ble Unni overlykkelig over å oppdage at hun fortsatt hadde gifteringen sin på fingeren, men alt annet var borte. De klarte så vidt å krabbe bort til hverandre, men da de begynte å be for ransmennene, ble de begge fylt med en helt spesiell kjærlighet til de unge guttene som hadde slått dem ned. Kjærligheten bare strømmet ut av dem. De klarte ikke å tenke noe annet enn,

"Disse flotte unge mennene, må Gud hjelpe dem og åpenbare sin kjærlighet for dem. De er virkelig noen vidunderligere unge menn. Gud velsigne dem!" All denne kjærligheten kom rett fra hjertene deres. Denne opplevelsen overbeviste dem om at Fars kjærlighet er en konkret virkelighet, av den enkle grunn at kjærligheten bare fløt ut av hjertene deres uten at de behøvde å anstrenge seg for å få det til. De behøvde ikke å tilgi ransmennene sine fordi de oppdaget at de eide noe som var mye større. De eide en dyp kjærlighet til fiendene sine.

Det er slikt et sant kristent hjerte bør være! Det handler ikke om at "Jeg må tilgi dem," eller, "Jeg vet det er rett å tilgi dem." For Olav og Unni ble denne hendelsen et overveldende uttrykk for det de allerede eide i sine hjerter. De behøvde ikke å spørre seg selv om hva som var rett å gjøre i denne situasjonen. De hadde automatisk det samme hjertelaget i seg som Jesus ville ha hatt!

Når Gud forvandler hjertet ditt, vil du automatisk bli annerledes.

Kristendom handler ikke om å lære seg hvordan man bør opptre for deretter i menneskelig kraft å forsøke å gjøre det. Jeg tror selvsagt at vi må stå synden imot av med all vår besluttsomhet, men å slutte å synde er ikke det samme som å være lik Kristus. Vi må innse at det bare er Gud som kan forvandle hjertene våre slik at vi blir mennesker som ligner på Kristus. Når han forvandler deg, vil du automatisk bli et annet menneske uten en gang å tenke på det.

Vi må forstå at den som er en kristen, får styrke innenfra. Når du lever en slik form for kristenliv, vil det forvandle deg til å bli alt det en kristen kan og skal være. Det vil ikke lenger være deg som får det til. Ikke dine egne anstrengelser, din selvkontroll eller disiplin. Dersom du med dine egne anstrengelser utvikler et liv som gir inntrykk av å være et kristent liv, så er det *du* som innkasserer æren for det. Det er bare når Gud *selv* har forandret deg, at du vil gi ham all ære for det. Gud virker i våre hjerter for å forandre dem vi er i oss selv, og litt etter litt vil all vår atferd og alt vårt tenkesett *automatisk* bli forandret slik at vi ligner på ham som har forandret oss.

ARRVEV

Dersom du har blitt alvorlig såret i livet ditt, har du fått et sår i hjertet og det vil forbli der inntil Gud helbreder det. Så lenge såret er der, vil den delen av deg på en eller annen måte fortsatt være bøyd og vridd, og den vil ikke fungere slik den var ment å fungere.

Da jeg var ni år gammel, falt av jeg av sykkelen min med det resultat at det rustne håndtaket skar seg inn i huden min tvers over kneet. Jeg skrek og skrek. Da jeg kom hjem, oppdaget jeg at jeg hadde et stort sår tvers over kneet. Da moren min rensket opp i såret, så faren min på det og sa, "Du vil få et arr på kneet for resten av livet." Arret er der fortsatt i dag, men det er ganske lite. Vet du hvorfor? Kneet mitt har vokst! Men fordi arrvev ikke vokser, har arret beholdt den samme størrelsen. Når hjertet ditt har fått et arr, vokser ikke den delen av deg opp, men forblir på barnestadiet. Det er grunnen til at mange av oss har barnslige atferdsmønstre som vi skammer oss over. Vi bestemmer oss for å reagere annerledes neste gang, men reagerer uten unntak på samme måte! Gud er opptatt av å helbrede våre hjertesår. Når han helbreder et sår i hjertet ditt, vil den delen av deg vokse opp til full modenhet. Det tar ikke en gang lang tid for den å vokse. Takk og pris, så helbreder Gud oss meget raskt!

Når hjertet ditt er blitt neglisjert eller ikke har fått den omsorgen det behøver, eller det er blitt knust eller såret, så vil den delen av hjertet ditt ha fått et arr inntil Gud helbreder det. Gud ønsker å helbrede hjertene våre og han gjør det ved å fylle det med sin trøstende kjærlighet.

HJERTET DITT ER DEG

Når du blir såret i hjertet ditt, blir du såret på dypet av hvem du er. Hvorfor? Fordi hjertet ikke bare er en del av deg. Hjertet ditt er *deg*. Din evne til å gjøre valg er en evne du eier, fordi viljen din er din Du kan styre viljen din dit du vil. Du er ikke sinnet ditt, fordi du kan forandre det. Du kan bestemme deg for å tenke annerledes. Det du tenker er derfor ikke deg, fordi du har kontroll over det du tenker. Du kan oppdra sinnet ditt på forskjellige måter. Du kan vite at noe er galt, men bestemme deg for å tro noe annet. Du kan styre sinnet ditt. Sinnet ditt er ikke deg. Det tilhører deg.

Slik er det også med følelsene dine. Følelsene dine tilhører deg, men de er ikke *deg*. Mange mennesker blir fanget i et tankemønster der de tror at følelsene deres er identiske med hvem de er. Når de føler seg trist til sinns, er hele verden trist. Dersom de føler seg lykkelige, er livet vidunderlig. Følelsene dine og stemningsleiene dine er kanskje dine, men de er ikke det samme som hvem du virkelig er. Selv om du føler på en bestemt måte, betyr det ikke at det er sant.

Sinnet ditt er ditt, viljen din er din, følelsene dine er dine. *Hjertet ditt er deg.*

HELBREDENDE KJÆRLIGHET

Når Gud forvandler hjertet ditt, begynner du å elske det Gud elsker. Du begynner å føle slik Gud føler. Du begynner å tenke slik

Gud tenker. Du begynner å gjøre det Gud gjør – automatisk! Denne boken handler derfor ikke om å oppdra seg selv, men snarere om å la han komme inn i hjertet ditt for å helbrede det og øse sin kjærlighet ut i det, og å forvandle hjertet ditt slik at det blir som hans hjerte.

De vidunderlige nyhetene er at når kjærligheten kommer inn, blir alt som *mangelen på kjærlighet* har forårsaket, snudd opp ned. Jeg snakker om mangel på kjærlighet. Det er så mange ting i denne verden vi har opplevd som representerer akkurat det motsatte av kjærlighet. Du har kanskje hatt traumatiske erfaringer som skyldes mangel på kjærlighet, og det har skapt tomrom i ditt livs grunnvoll. Hver gang du opplever ikke å bli elsket, er det som en eksplosjon i dypet av hvem du er. Når Gud øser ut sin kjærlighet i denne grunnvollen, fylles tomrommene automatisk opp. Hans kjærlighet renner inn i tomrommene og i traumene i livet ditt og setter i gang en prosess med sikte på å gjøre deg hel.

Men likevel er det mange av oss som ikke forstår dette. I det sjelesorgsarbeidet vi tidligere var involvert i, var vi primært opptatt av å diagnostisere sårene og traumene hos menneskene vi tjenestegjorde overfor. Det gjorde vi ved å forsøke å finne fram til enkelthendelser i livene deres som hadde påført dem sår. Så ba vi inn i det området, om at Gud måtte få komme til og helbrede det. Og Gud svarte våre bønner og fikk komme til med sin helbredende kjærlighet. Nå har jeg imidlertid oppdaget at dersom du kan åpne ditt hjerte og bare la Fars kjærlighet få fylle det, så vil den fylle *alle* tomrommene! Du behøver ikke å sette i gang med å identifisere hver enkelt av dem. Fars kjærlighet bare strømmer helt automatisk inn i dem! Så dersom vi kan finne fram til nøkkelen som kan hjelpe hver og en av oss til å åpne hjertene våre og la Fars kjærlighet få komme inn, og sørge for at hans kjærlighet får flyte inn i oss kontinuerlig, da kommer vi til å bli helbredet enten vi liker det eller ikke!

Du forstår, Fars kjærlighet flyter inn i hjertet ditt og det er der du får møte ham. En gang trodde jeg at det var alt tjenesten vår besto i. Vi pleide å tenke at budskapet om Guds farshjerte er det som kan helbrede mennesker på det følelsesmessige planet. Men jeg har oppdaget at helbredelsen av hjertet er bare inngangsporten til det å kjenne Far. Når hans kjærlighet får komme inn i oss, vil det helbrede hjertene våre. Dersom vi stadig holder hjertene våre åpne for ham, kan vi få bli sønner og døtre som står i en nær relasjon med Far, og da vil vi få kjenne og erfare hans kjærlighet mer og mer.

Nøkkelen til dette handler i virkeligheten om å åpne hjertene våre. Jeg vet ikke hvordan jeg skal åpne hjertet mitt. Jeg aner ikke hvordan det faktisk skjer. Jeg skulle ønske jeg gjorde det. Men det jeg *kan* gjøre, er helt enkelt å legge med ned foran Gud og si, "Gud, uansett hva du ønsker å gjøre med meg, så er det helt greit. Uansett hvor mye det kan såre meg, så gjør det likevel. Far, jeg stoler på at du er en god Gud og at du ikke vil skade meg. Jeg kan overgi meg selv til deg. Jeg kan stole på deg fordi du er god!"

Mange av oss har gode grunner for ikke å kunne stole på noen andre mennesker i livene våre. Men det finnes ingen grunn til at vi ikke kan stole på Gud. Noen mennesker sier, "Gud lot dette skje i livet mitt." Gud har aldri gjort verken deg eller noe annet menneske noe galt – aldri! Han kan bare være god. Han kan ikke synde. Så vi har ingen grunn til å holde noe opp imot Gud eller til å tilgi ham noe vi føler han har gjort mot oss. Vi forestiller oss kanskje at han har gjort noe galt, men det har han avgjort ikke. Selv om vi ikke alltid forstår det som skjer i livene våre, så er det likevel sant at Gud alltid er god, ja han er bare god.

Når du leser denne boken, inviterer jeg deg til å overgi hjertet ditt til ham, i den grad du vet hvordan du skal gjøre det. Du kan si, "Far, her er jeg, jeg er åpen for alt du måtte ønske å gjøre." Kanskje leser du dette med dine egne forventninger, men jeg ønsker heller at Guds forventninger, og ikke mine egne må bli innfridd. Du kan si, "Far, her er jeg, jeg er åpen for det *du* ønsker å gjøre for meg, ikke for å få innfridd mine egne forventninger." Han er bare god. Vi kan stole på ham.

KAPITTEL 3

Tilgivelse fra hjertet

~

Da Jesus døde på korset, sa han, "Det er fullbrakt!" Alt Gud kan gjøre for oss er allerede blitt gjort. Alt Gud har i sitt hjerte for oss, er nå blitt tilveiebrakt. Situasjonen er den at vi nå begynner å komme til en erkjennelse av hva han har gjort. Det Jesus gjorde på korset, begynner nå å bli en virkelighet for oss. Kristen vekst handler om at du og jeg mer og mer får erfare som reelt det han allerede har gjort. Gud behøver ikke å gjøre noe mer. Kristus har gjort alt for oss. Men hvorfor kan vi ikke fullt og helt få erfare dette? I de to neste kapitlene ønsker jeg å utdype og besvare dette spørsmålet.

HAN ELSKER OSS ALLEREDE NÅ

I hele denne åpenbaringen om Fars kjærlighet dreier det seg ikke om at vi skal forsøke å få ham til å utøse sin kjærlighet i våre hjerter. Hans kjærlighet strømmer uopphørlig og til enhver tid ned over oss. Spørsmålet er,

"Hvorfor opplever jeg ikke dette i større grad? Hvorfor er det ikke virkelig for meg?"

Problemet er bare det at vi har indre blokkeringer som står i veien for at denne virkeligheten får prege våre liv. Når vi blir kvitt disse blokkeringene, får vi oppleve at hans kjærlighet blir mer og mer reell for oss. En sang som ble sunget mye under vekkelsen i Wales lyder slik: "Hans kjærlighet er vid som havet, hans godhet og miskunnhet er som en mektig flod." Guds kjærlighet er som et hav. Jeg vet hva det er som kjennetegner verdenshavene. Det tar nesten tolv timer å fly fra New Zealand til Los Angeles og reisen går nesten utelukkende over havstrekninger. Vi er bare så vidt begynt å stikke tærne ned i Guds kjærlighets uendelige hav.

Når vi trer inn i en kontinuerlig erfaring av at han elsker oss, forandrer det hele vår personlighet. Det forandrer våre liv og forvandler oss slik at vi blir mer lik Jesus. *Kjærligheten som sådan forvandler oss.* Nøkkelen til åndelig vekst er å bli kvitt alt det som hindrer oss i å få erfare at han virkelig elsker oss. Så enkel, men samtidig også så dyp er sannheten.

SANN KRISTENDOM HENTER SIN ENERGI INNENIFRA

Et sant kristent menneske henter sin energi innenifra. Dersom du virkelig er en kristen, vil det prege hele ditt liv, det vil forvandle deg slik at du blir lik Jesus. Du behøver ikke å *gjøre noe* for å få det til å skje. Dersom du ikke er blitt forvandlet til Jesu bilde, er sannheten den at du i virkeligheten ikke har fått erfare hva det egentlig vil si å være en kristen. Kjernen i kristendommen er at Jesus døde på korset for å forsone oss med Gud, slik at vi kan få en relasjon med hans Far og kontinuerlig få erfare at Far elsker oss. Kristendom handler om noe langt mer enn bare å ha teoretisk kunnskap om at Gud elsker deg. Det handler om en *reell* erfaring av å bli *elsket* av Ham hvert minutt hver eneste dag. Forskjellen mellom disse to virkeligheter er enorm. Selv djevelen vet at Gud elsker deg. Men det er ingen tro; det er bare en rett lære. Tro er å *kjenne at Han elsker deg.* Dersom du ikke erfarer det, skyldes det blokkeringer i hjertet ditt. Når blokkeringene tas bort, får du en åpen himmel over deg.

Sann kristendom kan sammenlignes med en person som har arvet masse penger fra en nylig avdød slektning, men som ikke er klar over det. For noen år siden skrev avisene på New Zealand om en mann som hadde arvet et meget stort pengebeløp fra en fjern slektning i Sør-Amerka han aldri hadde hørt om. Bobestyrerne brukte flere år på å finne fram til at han var arvelaterens eneste gjenlevende slektning og å spore ham opp. Han hadde arvet et svimlende beløp på tretten milliarder dollar.

Forestill deg denne situasjonen. En dag får han en telefon-oppringning fra en advokat som innkaller ham til et møte. Han går på møtet og får høre at hele dette pengebeløpet tilhører ham. Hva tror du han ville ha foretatt seg dagen derpå? Det ville ha forandret hans liv på dramatisk og varig vis. Du vil kunne sitte i timevis og spekulere på hva han ville ha gjort og hvordan livet hans ville ha blitt forandret.

Sannheten, kjære leser, er at dette er nøyaktig hva kristendommen dreier seg om. Gjennom Jesus død og oppstandelse har vi fått del i en enorm arv. Mange av oss har en svært mangelfull forståelse av hva denne arven egentlig består i, men vi lærer det oss litt etter litt. Vi finner gradvis ut av hva det vil si å være frelst. Det handler om noe langt mer enn bare å få en billett til himmelen, å leve et godt liv, å være vennlig mot naboene, å være en god arbeidsgiver eller arbeidstaker, å gå regelmessig i kirken eller å ha en tjeneste i menigheten. Mange tror at dette i sum er hva kristendom dreier seg om! La meg fortelle deg en ting: kristendom er noe langt mer enn dette!

Kristendom handler om at du og jeg blir lik Jesus! Det er målet. Å leve et liv i all evighet som er likedannet med det liv Jesus lever i all evighet. Det går langt utover hva vi kan forestille oss! Kristendommen er noe veldig stort og vi har arvet hele potten. En person som har vært en kristen i fem minutter, har ikke arvet noe mindre enn en person som har vært en kristen i åttifem år. Personen som har vært en kristen lengst, forstår kanskje mer av hva arven består i, men vi eier i virkeligheten det samme.

Einstein sa en gang, "Det du ikke er i stand til å forklare for bestemoren din, har du ingen reell forståelse av." Jeg liker den uttalelsen fordi alt blir så enkelt når du virkelig forstår noe. Far elsker oss og det forandrer hvem vi er. Når vi kjenner den kjærligheten og erfarer den og vandrer i den kjærligheten, forvandler den oss så vi blir likedannet med Herrens bilde. Jeg ønsker derfor å fortelle deg om de forholdene som har vært blokkeringer i mitt eget liv og peke på veien Herren har latt meg gå for å komme fram til en erkjennelse av dem.

ET UBEHAGELIG MIRAKEL

Vi møtte Jack Winter på New Zealand i 1976. Han inviterte oss da til å komme og bli en del av arbeidet hans i USA, kjent som Daystar Ministries. Vi reiste dit i september 1978 og ankom først Los Angeles som på den tiden var preget av en kvelende varme, for deretter å dra videre til Indianapolis. Vi ankom med en enveisbillett, noe som i seg selv må regnes som et Guds mirakel fordi reisende som ankommer USA for så vel kortere som lengre opphold, må kunne fremvise en returbillett. Dorothy Winter plukket oss opp på flyplassen og derfra kjørte vi til organisasjonens hovedbase i Martinsville, Indiana. Det var der vi først fikk høre om Fars kjærlighet.

Men jeg hadde for egen del et stort problem. Jeg følte meg på ingen måte kallet til å ta del i et arbeid der alt dreide seg om kjærlighet. Jeg var en Guds mann, ikke en Guds svekling. Alt dette "kjærlighetspreiket" var definitivt ikke noe for meg. For meg besto tjenesten for Gud i å være et "skarpt treskeredskap", med ord som skar igjennom ondskapens krefter og fikk demoner til å bøye kne. Da jeg kom til senteret til Winter, sammen med Denise og de tre barna våre, oppdaget jeg til min forskrekkelse at alt handlet om dette "kjærlighetspreiket." Jeg var redd vi hadde gjort en fryktelig feil, men vi kunne ikke reise hjem igjen fordi vi ikke hadde noen returbilletter! Men midt i ubehaget jeg følte på, hadde Herren en plan.

Så der satt vi fastlåst, og etter en kort stund begynte jeg å tenke på hva jeg kunne gjøre for å få mest mulig ut av oppholdet. Da jeg en dag snakket med en av forbederne på senteret, så jeg henne derfor inn i øynene og jeg kunne se at hun virkelig visste hva det vil si å be. Jeg tenkte, "Jeg aner ikke hvordan jeg skal be, men det gjør åpenbart hun." Der og da bestemte jeg med derfor for å forsøke å lære meg det.

Å LÆRE Å BE SOM ET SKIKKELIG MANNFOLK

Jeg ble svært motivert av beretningen i Apostlenes gjerninger der Peter er oppe på et tak og ber. Ifølge teksten ble Peter sulten mens han ba. Jeg tenkte, "Hvor lang tid tar det for en mann å bli sulten?" Det må minst ha tatt noen timer. Jeg hadde sans for Peter. Fordi

Peter var en fysisk sterk og hardt arbeidende mann, hadde jeg sans for ham. En mann med kraftige arbeidshender og et ansikt preget av vær og vind. En friluftsmann som meg selv. En mann som dersom saker og ting gikk på tverke, jobbet seg ut av problemene med hardt arbeid. Etter at Jesus døde, dro han av gårde for å fiske. Han krabbet ikke inn under senga for å sørge og han gjemte seg heller ikke bort for å fordype seg i poesi. Jeg elsker poesi og har også selv skrevet mange dikt, men det var med Peter som arbeidsmann jeg identifiserte meg mest. Også hendene mine er preget av hardt arbeid. Jeg hadde tilbrakt en god del av livet mitt opp i fjellene som profesjonell jeger og etter at jeg giftet meg med Denise, hadde jeg vært bygningsarbeider.

Så jeg kunne identifisere med Peter, som den røffe og tøffe mannen han var. Til tross for at han var en aktiv, hardt arbeidende kar, vel vant med å ferdes i naturen, hadde han lært seg å være utholdende i bønnen. Noen ganger forestiller vi oss at det er lettere for innadvendte eller skolerte mennesker å be over lengre tid, men her holdt Peter på med å be helt til han ble sulten. Det utfordret meg skikkelig.

En annen bibelsk skikkelse som utfordret meg var Elia. Etter alt å dømme var han også en tøff kar. Det står at pannen hans var hard som flint. Og det er ikke hvem som helst som er i stand til å gjøre det han gjorde. Dersom Elia kom gående inn i rommet, ville vi trolig ha blitt skremt av blikket hans. Jeg festet med ved at han ved en anledning satt på toppen av et berg (2 Kong 1,9). Slik jeg så det, tydet dette på at han hadde et bønneliv. Han hadde lært seg å sitte stille i Guds nærhet.

Det utfordret meg at jeg ikke visste hvordan jeg skulle be noe over noe særlig lengre tid. Så jeg ønsket å lære meg å be. Målet mitt var å bli som én av disse bibelske skikkelsene som jeg ble inspirert av å lese om. I underetasjen i huset der vi bodde var det vakkert lite kapell som i sin helhet var malt i grønt, så jeg tenkte at jeg ville bruke litt tid i kapellet hver søndag morgen når det ikke var noen andre der. Jeg planla å lukke døren, og å oppholde meg der for å be så lenge jeg klarte det.

Da søndagen nærmet seg, tenkte jeg meg fram til en liste med bønneemner. Jeg ville be om ethvert tenkelig tema, bare for få tiden til å gå. Jeg tenkte at om tankene mine vandret på villspor, skulle jeg ikke fordømme meg selv, men bare starte opp igjen på nytt. Jeg hadde fred for at jeg ikke skulle behøve å be om tilgivelse for min menneskelige svakhet, men at jeg bare skulle jobbe meg videre igjennom listen med bønneemner. Neste søndag morgen lukket jeg meg inne i kapellet og ba om alt jeg kunne finne på.

Jeg ba i tunger, jeg ba på engelsk, jeg ba mens jeg lå langstrakt på magen, jeg ba mens jeg lå på ryggen, jeg ba så lenge jeg kunne og så sakte som mulig bare for å få tiden til å gå. Jeg hadde Bibelen min med meg, men jeg var der for å be og ikke for å lese i Bibelen. Etter en tid som føltes som en evighet, begynte veggene å lukke seg rundt meg. Jeg var trøtt og lei og ble mer og mer klaustrofobisk. Jeg løp til døren og kom meg ut i korridoren. Jeg så på klokken min og det var 06.20. Jeg hadde begynt klokken 06.00.

Nei, jeg er ikke en person som gir lett opp. Men slik opplevde jeg det var å lære å be. Gjennom resten av uken tenkte jeg på flere ting jeg kunne be over. Jeg var klar for å gå ned i kapellet neste søndag fordi jeg hadde forpliktet meg til det. Søndagen kom, og jeg gikk gjennom hele prosessen på nytt, jeg ba for alt jeg fant på, og så sakte som mulig, jeg ba i tunger og på engelsk, jeg sang, jeg satt, jeg sto og jeg løp. Enhver tenkelig variasjon av ulike bønnemetoder.

Etter en stund klarte jeg det ikke mer, og kom meg ut av døren ... jeg hadde vært der i femogtjue minutter. Jeg syntes jeg hadde gjort et fremskritt, men det kom til å ta lang tid før jeg var i stand til å sitte stille på et fjell i dagevis, som Elia! Og jeg hadde så visst ikke rukket å bli sulten, som Peter.

Jeg fortsatte å gå ned i kapellet hver søndag morgen. Det var hardt arbeid, men jeg holdt ut fordi jeg tenkte at dersom andre kunne gjøre det, så kunne også jeg. Jeg ønsket å bli en Guds mann og jeg ville gjøre alt som måtte til for å bli en Guds mann.

Så en dag skjedde det noe. Mens jeg ba, kom med ett Guds nærvær inn i rommet. Jeg hadde opplevd hans nærvær mange ganger tidligere, men jeg hadde aldri følt det så sterkt som nå der jeg var helt alene for meg selv. Jeg hadde opplevd Guds nærvær veldig sterkt på møter sammen med andre, men aldri alene. Det var helt fantastisk. Da Guds nærvær kom, tenkte jeg umiddelbart at jeg ikke måtte gjøre noe som helst som kunne få nærværet til å forlate rommet. Jeg holdt Bibelen min i hendene og jeg nølte veldig med å åpne den. Jeg lot være å be om noe som kunne oppfattes som selvsentrert eller å være drevet av gale motiver. Jeg bare stod der innfor ham og gjorde bare det som føltes helt forenlig med hans nærvær. Etter en stund forsvant nærværet, det bare oppløste seg som tåke i en fjellside. Plutselig innså at jeg var helt alene i rommet. Han hadde gått sin vei. Jeg så på klokken. Det hadde gått mer enn en time og det føltes som fem minutter. Jeg innså det ikke da, men jeg var i ferd med å lære meg hemmeligheten ikke bare med bønn, men med kristenlivet som helhet.

Livet som en kristen handler i virkeligheten kun om én ting. Og det er å finne fram til Herrens nærvær og forbli i den, å lære å leve med en konstant bevissthet om at Gud bor i deg med sitt nærvær.

Hver gang jeg gikk ned i kapellet etter den dagen, var jeg på utkikk etter Herrens nærvær. Noen ganger kom nærværet, andre ganger ikke, men det kom mer og mer regelmessig. Jeg var i ferd med å lære meg hvordan jeg mer og mer kunne finne fram til Herrens nærvær.

Så en dag mens jeg var i bønn, hendte det noe som forandret alt. Det var den siste gangen jeg noensinne gikk ned i kapellet. Guds nærvær kom og jeg var sammen med ham. Nå var bønnestundene mine blitt til tre eller fire timer. Jeg gikk omkring i kapellet med Bibelen oppslått mellom hendene mine. Da jeg nådde fram til veggen og snudde meg, talte Herren plutselig til meg.

Den stunden har hatt avgjørende betydning for hvem jeg er i dag. Og ikke bare det, den stunden har også virket inn på livene til tusenvis av mennesker, uten at jeg kunne vite det der og da. Han talte til meg på en svært utfordrende måte. Spørsmålet han stilte meg, rystet meg på dypet av min sjel. Det inneholdt fem ord, men de rommet så meget. Husk at jeg på den tiden kjempet med alle spørsmålene omkring Fars kjærlighet. Det han kommuniserte til meg, var klinkende klart. Det var tydelig at han hadde meget klare hensikter med det han sa til meg. Plutselig befant jeg meg så å si midt i hans ransakende lys. Jeg følte at han var veldig spent på hvordan jeg ville reagere på spørsmålet han stilte meg.

På en eller annen måte visste jeg at han kunne se hva jeg tenkte og følte. Hver tanke jeg hadde lå fullstendig blottlagt for hans blikk. Det skremte meg å bli satt under Herrens ransakende øyne. Det føltes som en lyskaster kombinert med en røntgenstråle. I Hebreer-brevets kapittel 4, vers 13 heter det, *"Alt ligger åpent og nakent for øynene på ham vi skal stå til regnskap for."* Det mest skrem-mende var at denne realitet gikk fullt og helt opp for meg. Jeg ble eksponert for hans ubarmhjertige blikk. Jeg bare stod der og forsøkte å finne ut av hvordan jeg skulle besvare dette spørsmålet. Det var svært enkelt å forstå, men meget krevende å ta stilling til.

Dette var det enkle spørsmål han stilte meg, *"James, hvem sin sønn er du?"*

Dersom han hadde stilt meg et litt annet spørsmål eller hvis han hadde formulert seg litt annerledes, hadde det vært mye lettere å svare. Dersom han hadde spurt meg, "James, hvem er faren din?" kunne jeg ha svart, "Bruce Jordan er faren min." Det er ingen tvil om det. Bruce Jordan *er* faren min. Og jeg kunne helt enkelt ha svart, "Det er Bruce. Bruce Jordan er faren min!" Men han spurte meg ikke om hvem som var faren min – han spurte meg om *hvem sin sønn* jeg var. Og da han stilte meg dette spørsmålet, innså jeg at jeg for lang, lang tid siden *hadde sluttet å være min fars sønn.*

JEG LUKKET HJERTET MITT FOR PAPPAEN MIN

Jeg husker godt at jeg, da jeg var omkring ti år gammel, en gang satt i en frisørsalong for å klippe håret. Jeg satt med armene mine på armene til den gamle stolen i lær. Alle i byen vår hadde minst ett gevær som de brukte til å jakte med eller på skytterstevnene som fant sted med jevne mellomrom. Frisøren var den mest navngjetne jegeren i byen. Han pleide å dra av sted opp i åsene omkring byen kun utstyrt med geværet sitt, et teppe til å sove i, en pose med litt ris og salt som nistemat, og han kunne være borte i ukevis. Men moren min var likevel den beste skytteren i byen. Hun var en skikkelig "Annie Oakley." Hun pleide å gå på kaninjakt og kom gjerne tilbake med fra seksti til nitti kaniner om ettermiddagen, og alle sammen var de skutt rett i hodet. Jeg har beholdt geværet hennes helt til denne dag.

Mens han holdt på med å klippe håret mitt, kom det en annen mann inn i frisørsalongen og begynte å prate med ham. "Hvordan var den siste jaktturen din?" spurte frisøren. Mannen sa da noe som forandret hele mitt liv. Han bemerket at jaktturen hadde vært mislykket fordi folk fra det offentlige jaktoppsynet hadde vært av sted for å tynne ut i hjortebestanden og kun latt det være igjen noen få dyr. Disse jegerne var betalt av myndighetene for å bo i villmarken og skyte hjort. Det var alt de gjorde, de bodde i jakthytter eller de sov under steinheller. Da jeg hørte dette, forsto jeg straks at disse offentlige jegerne var de beste jegerne i byen fordi de hadde skutt mesteparten av hjortebestanden og ikke latt det være noen igjen til de andre jegerne. Fra og med da av ønsket jeg meg ikke noe annet enn å få bo for meg selv i fjellene og skyte hjort for myndighetene.

Jeg elsker fjellet, men det som virkelig tiltrakk meg var frihetsfølelsen som denne livsstilen representerte, det å slippe hele tiden å måtte forholde seg til andre mennesker. Jeg hadde oppdaget at mennesker kunne såre meg og jeg tenkte at dersom jeg kunne leve alene, helt for meg selv, så kunne jeg leve helt uten smerte. Den som såret meg mest, var faren min. Da jeg fikk høre om disse offentlig ansatte jegerne, sluttet jeg å gjøre en innsats med skolearbeidet. Hver gang jeg fikk et karakterkort, sa lærerne til foreldrene mine, "James er den blant elevene våre som har flest ressurser, men han bruker dem ikke." Jeg var i stand til å klare meg og å bestå alle eksamener uten å bruke mye tid på skolearbeidet. På grunn av dette brukte jeg mest mulig tid utenfor skolen. Jeg bare sørget for å være til stede så mye jeg måtte helt til jeg var atten år og gammel nok til å bli hjortejeger. Faren min hadde såret meg så meget at jeg hadde lukket hjertet mitt for ham allerede før jeg var ti år gammel, og fra da av hadde jeg ikke lenger vært en sønn for ham.

Da nå Herren stilte meg dette spørsmålet, "James, hvem sin sønn er du?" visste jeg med en gang at han var på utkikk etter et navn. Spørsmålet var helt konkret, "James, *hvem sin sønn er du? Gi meg et navn!*"

Det første jeg tenkte å si til ham, var, "Jeg er Bruce Jordan's sønn." Men fordi han ransaket hjertet mitt og visste at jeg ikke hadde vært en sønn for min far, innså jeg umiddelbart at jeg ikke kunne si det.

Spørsmålet rørte ved noe som lå dypt begravd inni meg. I løpet av de siste månedene hadde jeg lest Johannes-evangeliet og blitt berørt av det Jesus sa om sitt forhold til sin Far. Jeg hadde understreket hvert ord Jesus sa om denne relasjonen. Utsagn som for eksempel, "*Å gjøre din vilje gir meg glede,*" eller, "*Jeg har mat å spise som dere ikke vet om ... Min mat er å gjøre det han vil, han som har sendt meg, og fullføre hans verk.*" Plutselig forsto jeg at for Jesus var det å gjøre sin Fars vilje så tilfredsstillende at han noen ganger til og med ikke følte noen fysisk sult." Og når jeg så min egen relasjon med min egen far, begynte jeg å innse at den var helt annerledes. Jeg forsto at det Herren egentlig sa til meg, var, "James, hvem har du vært en sønn for, på samme måte som Jesus er en sønn for meg?" Det var det han i bunn og grunn spurte meg om.

PAPPAEN MIN

Noe av det jeg stadig husker på når meg minnes pappaen min, var at han var utrolig flink til å krangle, særlig når han var full, og det var han ofte. Uansett hva som ble sagt i hans nærvær, så vred og vendte han på det, bare for å provosere og krangle. Da jeg var liten, forsto jeg ikke at faren min hadde personlige problemer som han satt fast i. Jeg tenkte bare at han hatet meg. Han pleide å provosere meg så kraftig at jeg i bokstavlig forstand mistet kontrollen over meg selv og gikk berserk i raseri og frustrasjon. Når han pleide å starte en krangel, hørte jeg ham ikke si noe annet enn at jeg var dum. *"Det er noe galt med hjernen din. Du er en idiot. Du er ikke bra nok for meg. Du er helt sprø. Du er ikke i stand til å tenke klart. Det er noe galt med deg!"* På grunn alt dette har jeg lært meg en del om krangling. Når noen krangler om en sak, dreier det seg ikke om saken som sådan. Saken er kun et redskap som en kranglevoren person bruker for å få overtaket i diskusjonen. En krangel er i virkeligheten en maktkamp.

Faren min hadde uten tvil mye å stri med. Det samme hadde jeg, men jeg var bare en liten gutt. Og når han brukte hele styrken i sin voksne røst, sitt voksne sinn, ja hele sin personlighet mot meg, så hendte det at jeg gikk nærmest amok og sparket og slo så skapdører gikk av hengslene. Jeg så bokstavlig talt rødt, smalt igjen utgangsdøren og løp opp på en bakketopp bak huset vårt, der jeg ble liggende og gråte helt til hjertet mitt roet seg ned. Jeg gikk hjem igjen først når lysene i huset ble slukket og klatret inn gjennom vinduet i soveværelset mitt for omsider å falle i søvn. Ingen kom for å sjekke om jeg var kommet hjem igjen eller ikke. Spenningen kunne ligge i dagevis over huset som en sky. Så løste den seg sakte opp inntil neste krangel. Ved å vokse opp under slike forhold stengte jeg hjertet mitt for faren min.

Å TILGI SOM EN VILJESHANDLING

Like etter at jeg var blitt en kristen, kom det en mann for å preke i kirken vår. Budskapet han forkynte var i korthet følgende, *"Du må tilgi andre mennesker som har syndet mot deg. Dersom du ikke tilgir dem, vil heller ikke Gud tilgi deg."* Jeg forsto hva han sa. Jeg hadde lest Bibelen mange ganger. Men jeg tolket det som om det handlet om evig frelse. Dersom du ikke tilga, ville du kunne forspille frelsen. Jeg kunne ikke se for meg at verset han siterte, kunne ha en annen betydning.

Hvis det finnes et spørsmål jeg virkelig brenner for, så er det dette! Jeg tror at mange, mange kristne over hele verden har latt seg lure når det gjelder hva *tilgivelse* i virkeligheten handler om. Mange kristne tror at de har tilgitt noen, selv om de i sitt hjerte egentlig ikke har gjort det. De tror at saken er tatt hånd om fordi de har tilgitt slik de er blitt lært opp til å tilgi. Da jeg hørte på denne forkynneren, følte jeg et enormt press til å tilgi faren min; hvis jeg ikke gjorde det, ville jeg forspille frelsen min. Jeg var fanget! Jeg ønsket å forlate rommet, men jeg klarte det ikke. Jeg tenkte at dersom jeg forlot rommet, ville jeg også ta farvel med kristendommen. Så jeg ble værende der, og presset ble bare verre og verre.

Den beske virkelighet var at jeg ikke ønsket å tilgi faren min. Jeg hadde intet bein i kroppen som var det minste interessert i å tilgi ham. Men forkynneren var beinhard på at det måtte jeg.

Det handler ikke om viljen

Ved avslutningen av møtet sa han, "Om det er noen som har behov for å tilgi et annet menneske, så kom fram nå." Dermed gikk jeg fram, jeg kjempet fortsatt med meg selv, og så kom én av eldstebrødrene og stilte seg ved siden av meg. Det gikk lang tid uten at jeg fikk meg til å si ordene om at jeg tilga pappaen min, og så sa han omsider, "James, bruk viljen din!"

Da han sa dette, visste jeg at det var nøkkelen som gjorde meg i stand til å komme meg ut av rommet; for jeg visste hvordan jeg skulle bruke viljen min. Jeg hadde mang en gang på tur i fjellene opplevd at været plutselig slo om til storm, at elvene flommet opp og at jeg kom til å bli søkkvåt og kald. Dersom du i en slik situasjon ikke kommer deg til en hytte før natten faller på, kommer du trolig ikke til å overleve. Så derfor tar du viljen din i bruk og kjemper deg igjennom vinden og regnet fram til hytta. Slike situasjoner er meget reelle, så jeg visste utmerket godt hva det vil si å sette viljen din i aksjon. Da én av eldstebrødrene ordla seg slik, stengte jeg av følelsene mine og med en viljesanstrengelse sa jeg, "I Jesu navn tilgir jeg faren min." Jeg følte meg virkelig lettet. Tårene stoppet opp. Jeg var lykkelig. Jeg følte at min evige frelse var sikret.

Da Herren den gangen i kapellet spurte meg om hvem sin sønn jeg var, innså jeg straks at jeg i mitt hjerte fortsatt hadde store problemer når det gjaldt forholdet til faren min. Jeg hadde ikke vært en sønn for ham. Jeg hadde ikke relatert til ham. Vi kranglet fortsatt en gang i blant. Inntil den dagen hadde jeg ikke innsett at jeg, når jeg tidligere hadde bedt ham om tilgivelse, bare gjorde det på overflaten.

Mange mennesker er blitt forledet til å tro at tilgivelse er et valg vi treffer. Det kan gjerne starte med et valg, men det er i virkeligheten ikke det tilgivelse dreier seg om. Å si ordene "Jeg tilgir deg" som en ren viljeshandling kan ikke regnes som en ekte tilgivelse.

La meg stoppe opp med å fortelle hva som skjedde der i kapellet, og komme tilbake til det i neste kapittel, for i stedet i første omgang å belyse kjernen i det jeg ønsker å formidle i dette kapitlet.

TILGIVELSE SOM EN VILJESHANDLING SETT OPP MOT TILGIVELSE FRA HJERTET

Mange mennesker tror de har tilgitt bare fordi de har gjort et valg, de har brukt viljen sin og de har uttalt ordene "Jeg tilgir."

Ordet "tilgivelse" er blitt et slags munnhell, og de fleste kristne tror i sin tankeløshet at de vet hva tilgivelse dreier seg om. Det jeg ønsker å formidle gjennom denne boka, er noe ganske annet. Jeg har i virkeligheten ikke hørt noen andre forkynnere si det jeg nå er i ferd med å dele.

Bli med meg til kapittel 18 i Matteus-evangeliet. Den første del av beretningen begynner i vers 21 der Peter kommer og stiller Jesus et spørsmål om tilgivelse. Her leser vi, *"Da gikk Peter til ham og spurte: 'Herre, hvor mange ganger skal min bror kunne synde mot meg og jeg likevel tilgi ham? Så mange som sju?'"*

Slik lød Peters spørsmål. Det han i virkeligheten sa, var, "Herre, hvor langt kan man strekke spørsmålet om tilgivelse? Hvor mange ganger må jeg gjøre det?"

Slik Peter stiller spørsmålet, aner jeg en viss motvilje i ham. Peter hadde høyst sannsynlig vært vitne til den nåde og barmhjertighet Jesus viste overfor kvinnen som ble grepet i utroskap, og tilsvarende under mange andre omstendigheter. Da mannen ble senket ned igjennom taket for å bli helbredet, lød Jesu første ord til ham, slik, *"Venn, syndene dine er deg tilgitt."* Og mannen hadde ikke en gang bedt om tilgivelse! Peter hadde vært vitne til hvordan Jesus tilga synder og viste nåde på en meget fri og sjenerøs måte. Han hadde sannsynligvis observert dette over en viss tid, og tenkt, "Jesus, hvor langt skal dette gå? Hvordan forener du tilgivelse med Lovens krav?" Da Peter stilte det utrolige spørsmålet sitt, blottstilte han hjertet sitt. Jesu svar til ham lød slik, *"Ikke sju ganger, men sytti ganger sju."*

Jeg tror selvsagt ikke et øyeblikk at Jesus mente at vi skal tilgi nøyaktig fire hundre og nitti ganger, og at Peter utover dette var fri til å la være å tilgi. Jesus sa at tilgivelsen er uten grenser. Han demonstrerte klart og tydelig at Peter ikke hadde den minste peiling på hva tilgivelse egentlig er.

Slik tilgivelse vanligvis forstås i våre dager, kan man lett tenke seg at det å tilgi en og samme person den samme synden sju ganger er ekstremt vanskelig. Når noen synder mot deg, er det alltid sårende. Det er alltid på en eller annen måte forbundet med smerte. Å skulle tilgi og glemme det hele gjentatte ganger, vil naturligvis måtte bli mer og mer smertefullt. De aller fleste av oss ville nok ha stilt den aktuelle personen til regnskap etter den andre eller tredje gangen, og så ville det ha vært slutt på det vennskapet. Når Peter spør, "Herre, så mange som sju ganger?" synes han nok derfor at han var veldig from. Men i virkeligheten viser det at han har misforstått det hele fullstendig. Nåden, miskunnheten og tilgivelsen Jesus snakket om, lå på et ganske annet nivå.

Å ELSKE TROFAST KJÆRLIGHET

La oss, for å vise hva Jesus mente, ta en kikk på Mika 6,8. Mange mennesker har plakater med dette skriftstedet på veggen i hjemmene sine.

"Han har kunngjort for deg, menneske, hva godt er. Og hva krever Herren av deg? Bare at du gjør rett, viser trofast kjærlighet og vandrer ydmykt med din Gud."

Å vise trofast kjærlighet! Trofast kjærlighet handler om å ha et hjerte som ønsker at den skyldige skal gå fri. Det er tilgivelse. Guds lengsel er at vi skal *elske* å tilgi. Det må ikke være noe du er nødt til å gjøre, men noe du *elsker å gjøre. Hjertet Gud ønsker at vi skal ha, er et hjerte som elsker* å tilgi.

Dersom du elsker å gjøre noe, vil du gjøre det gang på gang. Du vil gjøre det hver gang du får en anledning til det. Ja, mer enn det, du vil være på utkikk etter anledninger til å gjøre det. Da Peter spurte, "Herre, hvor mange ganger skal min bror kunne synde mot meg og jeg likevel tilgi ham?" sa han i virkeligheten, "Dette er *hardt arbeid.* Jeg liker ikke å gjøre det, det er vanskelig. Jeg ønsker ikke å tilgi." Men *Jesu svar lød slik, "Peter, du har ingen peiling på hva tilgivelse egentlig dreier seg om."*

Jesus fortsatte med å dele en fortelling som hjalp Peter til å forstå forskjellen. Vi har ofte ikke fått med oss det poenget. Peter forsto egentlig ikke hva tilgivelse er. Han tenkte at det var noe som måtte skje ut fra en menneskelig beslutning på tvers av hva en person *egentlig* ønsket å gjøre. Jeg har ofte snakket med mennesker som har sag til meg, "Noen har gjort dette mot meg og jeg ser for meg at jeg må tilgi dem hver eneste dag i resten av mitt liv." Ja, tilgivelse handler om en prosess. Det tok meg seks måneder virkelig å tilgi faren min. Jeg sier derfor ikke at det ikke er en prosess, for det er det helt klart. Herren begynte å utdype for meg de neste versene hos Matteus, for at jeg skulle kunne komme dit at jeg tilgi faren min slik Herren ønsket at jeg skulle gjøre det. Han ønsker å ta oss med på en prosess der vi først velger å tilgi, for deretter å tilgi med kjærlighet og endelig til et sted der vi *elsker* å tilgi. Han vil at vi skal fjerne oss langt vekk fra det å tilgi som en viljeshandling, til et punkt der vi tilgir på nytt og på nytt ut fra et hjerte som *elsker* å tilgi.

I de fleste kirker i dag har vi fått lært oss at tilgivelse er noe vi velger, som en viljesbeslutning. Jesus er uenig i dette. Han sier at tilgivelsen må ha sitt utspring i hjertene våre.

Å TILGI HANDLER OM Å AVSKRIVE EN GJELD

Jesus forsto at Peter oppfattet tilgivelse som et bud man bare må adlyde. I dette skriftavsnittet forteller han en lignelse for å forklare og lede Peter i retning av å kunne elske å tilgi, som en hjerteholdning. La meg utbrodere fortellingen.

Det var en konge som hadde en tjener som begikk underslag og tok med seg et enormt pengebeløp ut av landet. Om han hadde spilt pengene bort eller gjort dårlige investeringer eller brukt dem opp i sin helhet, så var de uansett borte. Da han ble avslørt, tigget og ba han kongen om å tilgi seg. Kongen tilga ham og avskrev gjelden.

Den samme tjeneren gikk så av sted og møtte ganske raskt en annen mann som skyldte ham et lite pengebeløp. Mannen bønnfalt ham om å bli tilgitt, men tjeneren som hadde fått ettergitt et enormt pengebeløp, ville ikke tilgi mannen og fikk ham kastet i fengsel inntil gjelden var betalt. Kongen fikk høre om dette. Han kalte tjeneren til seg og sa, "Jeg tilga deg alt dette, og så tilga du ikke denne mannen som bare skyldte deg et lite beløp!" På grunn av dette kastet kongen ham i fengsel der han ble torturert og mishandlet.

Slik lyder historien. I vers 34 heter det, *"Og Herren ble sint og overlot tjeneren til å bli mishandlet av fangevoktere til han hadde betalt hele gjelden."* Så sa Jesus noe som trolig er én av de mest alvorlige utsagnene vi finner i Det nye testamente, *"Slik skal også min himmelske Far gjøre med hver og en av dere som ikke av hjertet tilgir sin bror."* Du vil med andre ord være ille plaget inntil du tilgir av hjertet. Jesus fortalte denne historien med én hensikt. For å lære oss hvordan vi virkelig kan tilgi av hjertet.

Vi må i siste instans komme til et punkt der vi *tilgir av hjertet.*

Sannheten er at *viljen din ikke er hjertet ditt.* Viljen din er din. Hjertet ditt er *deg.* Det vet vi fordi et menneske kan styre viljen sin. Du kan som en viljeshandling bestemme deg for å gjøre noe eller *ikke å gjøre noe. Mange mennesker som har truffet et valg om å tilgi, uten å ha tilgitt av hjertet, har det ikke godt med seg selv. De tenker, "Det at jeg har det så vondt kan ikke ha noe med tilgivelsen å gjøre. Jeg har jo allerede tilgitt. Jeg har truffet et valg, så for min del er tilgivelsen et avsluttet kapittel. Problemene jeg har i livet mitt akkurat nå, kan ikke ha noe med tilgivelse å gjøre, ettersom jeg jo har tilgitt, slik jeg er blitt opplært til."* I virkeligheten *er* det å tilgi fortsatt noe de strever med, men de klarer ikke å forholde seg til det fordi de tror at saken hører fortiden til.

La oss derfor vende tilbake til historien som Jesus tok meg igjennom vers for vers for å hjelpe meg å tilgi faren min. Jesus sa,

"Derfor kan himmelriket sammenlignes med en konge som ville gjøre opp regnskapet med tjenerne sine."

Da jeg leste dette verset, talte Herren klart og tydelig til meg, "James, når du leser denne historien, skal du plassere deg selv i kongens sted."

Kongen skal tilgi en person. For å forstå hvordan dette skal fungere for oss, må vi plassere oss selv i kongens sted.

Da jeg plasserte meg selv i kongens sted, ble faren min til tjeneren som hadde stjålet så mye fra meg. Av ukjente grunner bestemte kongen seg for å gjøre opp hele regnskapet i riket sitt. Om det var noe som ikke stemte, ønsket han å ordne opp i det. Han ønsket at alt skjult skulle bli blottstilt og satt i rett skikk. Han hadde tatt en beslutning om å få et rike preget av rettferdighet.

Når du for din del leser dette, kan du plassere deg selv i kongens sted. Du kan si, "Herre, jeg ønsker at alle konti i livet mitt skal bli satt i rett skikk. Dersom det er forhold jeg ikke virkelig har tilgitt, så ber jeg deg om å vise meg hva det er. Dersom jeg har lurt meg selv eller ikke har vært i stand til å se, så ber jeg deg, Herre, om å åpenbare det for meg her og nå, slik at jeg kan begynne å gjøre det opp. Herre, jeg ber om at kontiene i riket mitt må bli gjort opp."

Historien fortsetter slik, *"Da han tok fatt på oppgjøret, ble en ført fram som skyldte ham ti tusen talenter."* Med dagens pengeverdi tilsvarer dette et beløp på drøye seks hundre millioner kroner! Denne tjeneren var åpenbart en høyst betrodd mann, han måtte ha hatt en betydningsfull stilling i kongeriket.

De verste syndene, de som sårer oss mest, blir vanligvis begått av mennesker som står oss nær og som vi har tillit til. Vanligvis er det slik at du, når du ikke har tillit til et menneske, bare får bekreftet dette når de begår urett mot deg, men når du stoler på et menneske og det gjør deg urett, så blir du desto mer såret. Denne mannen innehadde en stilling tett inn mot kongens hjerte. Han nøt stor tillit og så ble det avslørt at han hadde stjålet penger fra sin herre.

Det er derfor det sårer når noen synder mot deg. Og når de synder mot deg, så tar de alltid noe bort fra livet ditt. Du blir frastjålet noe.

Du behøver ikke å ha vært lenge i kristen tjeneste før du oppdager at noen mennesker er blitt påført urett og synd på de mest forskrekkelige måter. Skaden noen mennesker påfører andre gjennom sine ord og handlinger, kan være fullstendig ødeleggende. Når noen synder mot deg, stjeler de alltid noe fra livet ditt.

Denise og jeg tjenestegjorde en gang for en treogåttiår gammel kvinne i Minnesota. Da hun var ei lita jente på tre år, ble hun voldtatt. Hun tenkte ikke på at denne traumatiske hendelsen kunne ha noe som helst å gjøre med det hun kom for å snakke med oss om. Hennes problem var at hun hadde vært gift fem ganger og hver gang hadde ektemannen skilt seg fra henne. Hun var helt knust fordi hun var blitt forkastet av ektemennene sine som hun hver for seg hadde elsket. De hadde alle sagt det samme, nemlig at hun ikke var i stand til å vise hengivenhet som hustru, og så forkastet de henne. Mens vi hørte henne fortelle historien sin, kom det for en dag at hun var blitt voldtatt som treåring. Hun klarte ikke å se den sannheten som var helt innlysende for oss. Nemlig at ekteskapsproblemene hennes var et spørsmål om årsak og virkning, og at hun i sitt liv bar med seg en arv fra overgrepet i barndommen.

Det hun var blitt utsatt for som treåring, hadde ødelagt noe i hennes kvinnelighet. Det fratok henne evnen til å kunne relatere åpent og fritt på en kjærlig måte, og til å finne glede i intim nærhet. Alt dette ble frastjålet henne. Senere innså hun at det hun var blitt frastjålet, ikke bare var hennes kvinnelighet, men også mye annet i tillegg. Opplevelsen av å kunne ha et lykkelig ekteskap og barn ble frastjålet henne. Muligheten til en gang å bli bestemor, ble frastjålet henne. Alt det et stabilt og godt ekteskap bringer med seg av goder gjennom et langt liv, ble frastjålet henne. Som en gammel kvinne på åttitre år hadde hun mistet alt dette. De ble stjålet fra henne da hun var bare tre år gammel.

Jeg la armene mine rundt henne og ba Far om å komme og øse sin kjærlighet inn i den tre år gamle delen av hjertet hennes og helbrede såret. Den dagen skjedde det et mirakel. Den gamle kvinnen begynte plutselig å knise som en treårig jente. Hun fniste og lo ukontrollert av glede. Så stoppet hun opp og så på oss med et alvorlig uttrykk i ansiktet og sa, "Hvorfor brukte Gud så lang tid på å helbrede meg?" Jeg hadde ikke noe svar på det spørsmålet. Alt jeg var i stand til å si til henne var dette, "Vel, bedre sent enn aldri antar jeg." Da hun hørte de, begynte hun straks å fnise og le igjen. "Ja! Bedre sent enn aldri!" Det var til stor glede for henne å høre det. Hun var blitt helbredet.

Når mennesker synder imot oss, er det på det rene at de *alltid* stjeler noe fra oss.

Dersom vi ikke forstår hva vi er blitt frastjålet, kan vi heller ikke avskrive gjelden.

Mange mennesker kommer med en rask og lettvint unnskyldning når de har gjort noe galt. "Hør her, jeg beklager. Kan du tilgi meg?" Vi vet at det er kristelig å be om unnskyldning! Og det kristelige svaret er, "Ja, jeg tilgir deg," og så tror vi at det hele er over. Men i de fleste tilfeller er relasjonen i virkeligheten aldri blitt helbredet. Det har ikke skjedd noen gjenopprettelse av relasjonen, men fordi vi sa fram ordene om tilgivelse, er vi ikke i stand til å finne ut av hva som er galt. Og nettopp derfor finnes det så mange overflatiske relasjoner i Kristi kropp. *Dersom vi ikke forstår hva vi er blitt frastjålet, kan vi heller ikke avskrive gjelden.*

I historien hos Matteus ble det stjålet ti tusen talenter. For at denne kongen skulle kunne tilgi, måtte han avskrive en gjeld tilsvarende drøye seks hundre millioner kroner. Det er masse penger!

DET KOSTER Å TILGI AV HJERTET

La meg dele med deg et tenkt hendelsesforløp. Tenk deg at jeg en dag passerer stedet der du bor, og bestemmer meg for å stikke innom for å låne 100 kroner av deg. Når jeg ankommer huset ditt, er du ikke hjemme, men døren står åpen og jeg legger merke til at lommeboka di ligger på bordet. Jeg ser meg litt omkring og tenker med meg selv, "Dersom han hadde vært her, ville han sikkert ha gitt meg de pengene. Han er min venn. Så da kan jeg likevel ta dem." Så går jeg inn, forsyner meg med hundre kroner og bruker dem opp. Og dermed er pengene borte.

Når du litt senere kommer hjem igjen, legger du straks merke til at hundrelappen er borte. Du tenker, "Noen må ha stjålet den! Jeg skulle ikke ha latt døren stå åpen." Dagen etterpå taler Den hellige ånd til meg og jeg innser at jeg har syndet. Dette var ikke et lån. Jeg har faktisk stjålet pengene. Jeg kommer derfor tilbake til deg og sier, "Bror, jeg er lei meg for det, men i går gikk jeg inn i huset ditt mens du var borte og tok hundre kroner ut av lommeboken din. Nå har jeg brukt dem opp. Vil du tilgi meg?"

Nå har du et valg, men valget kommer til å ha emosjonelle overtoner fordi du er følelsesmessig bundet til denne hundrelappen. For å gi slipp på pengebeløpet må du avskrive gjelden. Dersom du ikke tilgir meg det jeg har gjort, vil jeg måtte betale pengene tilbake. Manglende bønn om tilgivelse innebærer at synderen må gi fullt vederlag for det han har gjort. *Tilgivelse sletter gjelden.* Et aspekt ved tilgivelse som gjør alt så vanskelig for oss, er det faktum at den uskyldige parten må betale for den skyldige. Det har ikke alltid vært slik. Vi ser det i Jesu eksempel. Det kostet ham livet å tilgi alle verdens syndere! Tilgivelse og miskunnhet står i virkeligheten i motsetning til rettferdighet. Det kommer til å koste deg hundre kroner å tilgi meg.

Det som er så herlig med tilgivelsen, er dette: når vi tilgir et annet menneske, gjør det oss mer lik Jesus. Når vi sletter en gjeld, når vi betaler for et annet menneskes synd, knytter det oss tettere sammen og forvandler oss så vi blir mer lik Jesus.

Du tenker kanskje, "Hva betyr egentlig hundre kroner for forholdet mellom James og meg? Han er da ikke noen dårlig kar. Her har han begått en feil. La så være, jeg sletter gjelden." Deretter sier du, "OK, jeg tilgir deg." Jeg går min vei som en fri person og vil aldri måtte betale tilbake det jeg skylder.

Men la meg forandre litt på historien. Når jeg går inn i huset ditt og åpner lommeboken din for å ta hundre kroner, legger jeg også merke til VISA-kortet ditt. Og endatil har du tilfeldigvis skrevet opp PIN-koden på en egen lapp. Så derfor tar jeg VISA-kortet og hundrelappen, går ned i banken og hever seks tusen kroner fra bankkontoen din, for deretter å legge VISA-kortet tilbake i lommeboken. Jeg forsyner meg også med hundrelappen, og bruker opp hele beløpet. Seks tusen ett hundre kroner. Alt er borte. Neste dag angrer jeg på det jeg har gjort. Men når du kommer hjem, er VISA-kortet fortsatt i lommeboken, du savner bare hundrelappen. Det er først senere, når du sjekker kontobalansen din, at du legger merke til de manglende seks tusen kronene.

Neste dag minner Den hellige ånd meg om at jeg har syndet, og jeg drar hjem til deg og sier, "Bror, jeg er lei meg for å måtte si det, men i går stjal jeg noen penger fra deg. Vil du tilgi meg?" Legg merke til at jeg ikke sier at jeg har tatt VISA-kortet, og derfor tror du at det bare dreier seg om hundre kroner. I virkeligheten stjal jeg seks tusen ett hundre kroner, men det jeg ber deg om, er at du skal tilgi meg alt jeg har tatt fra deg. Så når jeg sier, "Bror, jeg stjal noen penger fra deg. Vil du tilgi meg?" svarer du, "Hva betyr vel en hundrelapp for forholdet mellom James og meg? OK, James, jeg tilgir deg."

La meg stille deg et spørsmål. Er jeg tilgitt? Nei! Jeg er *ikke* tilgitt. *Du kan ikke tilgi noe dersom du ikke vet hva du er blitt fratatt!* Du har tilgitt meg at jeg forsynte meg med hundrelappen, men når du får kontooversikten, vil du måtte gå igjennom hele prosessen på nytt. Og du vil bli mye mer følelsesmessig berørt av de seks tusen kronene enn av hundrelappen. Dette kommer til å berøre livet ditt på en ganske konkret måte. Kanskje hadde du lagt de seks tusen kronene til side med tanke på ferien din eller noe annet som betyr mye for deg. Seks tusen kroner er ikke noe lite beløp. Og derfor kreves det mer av hjertet ditt å tilgi meg for det beløpet.

Du forstår, for mange av oss er det slik at vi, da vi tilga en bror eller en søster noe de hadde gjort mot oss, egentlig aldri undersøkte hva vi var blitt frastjålet.

Jeg oppdaget dette da Herren jobbet med meg om å tilgi faren min. Der framme i kirken sammen med eldstebroren sa jeg, "Jeg tilgir faren min i Jesu navn", samtidig som det vellet fram mye smerte fra mitt indre mens jeg forsøkte å si de ordene. Men nå, da jeg leste disse versene, begynte Herren på nytt å gjøre meg mer bevisst på hva min fars manglende evne til virkelig å være en far, hadde kostet meg.

Jeg begynte å innse at dersom faren min midt i en krangel bare kunne ha sagt til meg, "Sønn, jeg ønsker ikke å krangle meg deg. Jeg elsker deg. Du er en god gutt. Du er flink. Jeg liker deg. Du er sønnen min." Det ville ha betydd alt. Men han bare fortsatte å hisse meg opp helt til jeg mistet beherskelsen og fikk et raserianfall.

Noen ganger ser jeg på gamle familiebilder fra tiden da jeg var tenåring. På hvert eneste bilde er ansiktet mitt uten unntak vendt vekk fra faren min. Når jeg ser på ansiktet mitt på disse gamle bildene, får jeg lyst til å gråte. Jeg var et ulykkelig, knust barn. Dersom faren min bare hadde kunnet legge hånden sin på skulderen min når han passerte meg, ville det ha betydd en enorm forskjell i livet mitt. Om han bare kunne ha fortalt meg at han elsket meg. Om han bare kunne ha satt seg ned og sagt til meg, "Hvordan har du det i dag, gutten min?" Faren min var ingen dårlig far, men han var utrolig traumatisert på grunn av det han hadde vært med på under den andre verdenskrig. Dersom han hadde vært en bedre far, ville jeg kunne ha hatt en bedre oppvekst. Faren min var aldri fysisk voldelig, men det han sa var hele tiden utrolig sårende. Jeg begynte å komme i berøring med hva det hadde kostet meg at faren min var den mannen han var. Og jeg begynte å bli skikkelig sint, ja virkelig rasende.

FAREN MIN KUNNE IKKE BETALE PRISEN

Da Gud tok meg igjennom en prosess der jeg begynte å gjøre opp regnskapet for hva alt dette hadde kostet meg, hendte det innimellom at jeg bare ønsket å komme meg på et fly og reise hjem igjen. Noen ganger følte jeg meg så sint at jeg ønsket å gi faren min en midt på trynet. Jeg var sjokkert over hvor mye oppdemmet raseri jeg hadde inni meg. Jeg følte meg så knust. Jeg begynte å bli klar over hva min fars manglende evne til å være den faren jeg trengte, i virkeligheten hadde kostet meg.

For å komme tilbake til historien i Matteus 18, så heter det i vers 25, *"Han hadde ikke noe å betale med* (her handler det om mannen som hadde stjålet ti tusen talenter), *og herren befalte at han skulle selges med kone og barn og alt han eide, og gjelden betales."* Jeg ønsket at faren min skulle bli straffet. Har du et uforsonlig sinn, vil du ønske at personen som har syndet imot deg, skal betale for det han eller hun har gjort. Men ordene som slo imot meg, var de første ordene i verset, *"Han hadde ikke noe å betale med."* Denne mannen hadde stjålet et enormt pengebeløp og hadde brukt opp alt. Han kunne umulig tilbakebetale det han skyldte.

Etter som ukene gikk, kom disse ordene stadig vekk tilbake til meg. *"Han hadde ikke noe å betale med."* Og Herren begynte å minne meg om ting jeg hadde hørt om faren min. Av folk som han var sammen med i krigen, av onklene og tantene mine. Jeg begynte å se på livet hans på en ny måte. Jeg husket at tantene mine (søstrene hans) pleide å snakke om ham med en hånlig tone i stemmen. Faren min hadde måttet dra hjemme ifra da han var seksten år gammel. Han ble sendt til en by som på den tiden lå langt vekk fra hjembyen hans, og fikk bare lov til å dra hjem igjen en gang om året. Han bodde hos en eldre kvinne i et hus i nærheten av der han jobbet, en jobb han hatet uten å ha noe å interessere seg for i fritiden. Når han en gang om året reiste hjem igjen, møtte moren hans ham med et kort håndtrykk, for å si farvel med ham en uke senere med et nytt håndtrykk. Han fortalte meg noen år senere at moren hans var den eneste som noen sinne hadde sagt til ham, "Jeg elsker deg."

Da han var sytten år, startet den andre verdenskrigen. Han sluttet seg straks til hæren og ble, etter å ha fått sin første militære opplæring, sendt av sted for å slåss på Stillehavsøyene. Så dro han til Egypt og deltok i de allierte styrker under felttoget i Italia, der han ble værende helt til slutten av krigen. Han fortalte en gang hvordan han hadde vært vitne til at hans nærmeste venn ble truffet av granater avfyrt fra en stridsvogn. Jeg husker at han sa, "Vi fant ikke en gang en liten bit av klærne hans." Han ble sendt ut på rekognoseringsoppdrag for tungt artilleri for å lokalisere fiendens stillinger og gi signaler og peke ut målet for ildgivningen. Vanligvis så de aldri det de hadde skutt mot, unntatt når de dro igjennom landsbyer som var blitt beskutt. Han så kroppsdeler fra menn og kvinner ligge spredt rundt i gatene. Det fantes ingen menn eller fiendtlige soldater der – bare kvinner og barn! Faren min var nitten år gammel og det var han som hadde avfyrt granatilden mot landsbyen.

Jeg tenker ofte tilbake på dette og jeg tenker at dersom jeg hadde vært Gud den dagen og kunne ha sett inn i hjertet på faren min når de dro igjennom den landsbyen, hvordan ville jeg da ha følt det i forhold til ham? Jeg ville ha følt sinne for det som hadde skjedd og sorg for hans del, når jeg så det han hadde gjort med sine egne hender og hva han hadde vært en del av. Faren min kom hjem igjen fra krigen og hadde behov for å bli elsket. Han giftet seg ganske raskt med moren min og i løpet av få år fikk de tre barn. Fordi han ikke klarte å håndtere følelsene sine og minnene som hjemsøkte ham, begynte han å drikke.

Faren min var i konstant krig med den verden han bar på inni seg på grunn av all uretten han hadde opplevd i livet sitt. Han vred og vendte enhver sak om til en krangel fordi han var grunnleggende utilfreds i sitt indre. Han hadde tre barn som behøvde en far som elsket dem. Men han hadde ingen kjærlighet å gi!

Da jeg leste disse ordene, *"Han hadde ikke noe å betale med,"* innså jeg at faren min ikke lenger var i stand til være en god far. Han hadde ingen kjærlighet å gi. Han kunne ikke betale det han skyldte meg.

DU KAN IKKE GI NOE DU IKKE HAR MOTTATT

Du forstår, du kan ikke gi noe du ikke har mottatt – og likevel tror vi av og til at alt er så enkelt, "Hvorfor kan de ikke gjøre det? Det er da lett nok!" Men hvis du aldri har mottatt det, er det ikke så enkelt. Faren min hadde aldri hørt noen si til ham, "Jeg elsker deg." Han hadde aldri hatt en far som la hånden sin på skulderen hans og sa, "Jeg er stolt av deg, min kjære sønn." I sitt hjerte hadde han ikke noe annet enn angst og uro mot alt og alle. *Han var ikke i stand til å betale.* Jeg begynte helt enkelt å se på faren min som et menneske som hadde hatt mye smerte i livet, som var ufullkommen og som, i likhet med meg, ikke klarte å håndtere mye av det livet påførte ham.

"Da fikk herren inderlig medfølelse med denne tjeneren, slapp ham fri og etterga ham gjelden." Tjenerens herre fikk *inderlig medfølelse.* Da jeg fikk se at faren min ganske enkelt ikke hadde noen midler å betale meg tilbake med, fikk jeg for første gang i mitt liv inderlig medfølelse med ham. Jeg hadde aldri sett på saker og ting ut fra hans perspektiv. Jeg tenker at om jeg hadde hatt Guds perspektiv og sett alt som hadde skjedd i min fars liv, ville jeg ha hatt en helt annen holdning til ham.

DEN VIRKELIGE TYVEN

Sjelen vår har en fiende. Denne fienden kommer for å stjele og myrde og ødelegge. Men han kommer ikke for å stjele bilen din. Han kommer for å stjele sjelen din. Han kommer ikke for å ødelegge TV-en din eller noe annet du eier. Han kommer for å ødelegge personligheten din. Han kommer for å myrde alt som er godt i deg, alt som er fromt, godt, behagelig og mildt. Han kommer for å ødelegge alt Gud har lagt ned i deg.

Som kristne har vi fått et troens skjold, og med det kan vi slokke alle fiendens brennende piler. Jeg innså at faren min aldri hadde hatt et slikt skjold, og derfor rammet fiendens brennende piler ham. Satan har ingen skrupler. Han mangler enhver form for måtehold og forsøker ikke å legge bånd på ondskapen han ønsker å bringe over et menneske. Han vil gjøre de mest forferdelige ting mot det reneste og mest uskyldige lille barn. Han hadde angrepet faren min helt fra fødselen av, ja til og med fra før han ble født. Han har også angrepet alle dem som har såret deg. Han har angrepet og ødelagt moren og faren din på mange forskjellige måter som du ikke er i stand til å forstå. Han har frastjålet dem det potensialet de hadde til å bli de mennesker de drømte om å bli, og fratatt dem evnen til å være den far og den mor som du hadde behov for.

Jeg hadde medlidenhet med ham. For første gang i mitt liv ba jeg for faren min. Jeg ba omtrent slik:

Herre, mitt ønske er at faren min skal bli velsignet. Jeg ønsker at han ikke lenger skal gå og bære på byrder. Jeg ønsker at han ikke lenger skal oppleve ikke å være elsket. Jeg ønsker at han ikke lenger skal være ensom. Jeg ønsker at han skal bli elsket. Jeg ønsker at han skal oppleve å få tilgivelse for alt han bærer på av skyld i samvittigheten sin, og for alt han var med på under krigen og som plager ham i dag. Alt som fikk ham til å drikke seg full for å roe ned hjertet sitt. Herre, jeg ber deg om å tilgi ham alt dette, slik at han kan få legge det ned og legge det bak seg og bli fri. Herre, vil du tilgi ham alle hans synder, vil du tilgi ham for alt det gale han har gjort. Jeg ønsker ikke en gang at han skal fortsette å føle seg skyldbetynget for at han ikke stilte opp for meg som far. Det vil jo bare legge en ekstra stein til byrden og alle de problemer han bærer på i livet sitt. Jeg ønsker at han skal bli satt fri fra følelsen av ikke ha strukket til som mann, som far, som ektemann. Jeg ønsker at han skal bli fri! Herre, jeg tilgir ham av hele mitt hjerte. Vil du tilgi ham?"

Da jeg ba den bønnen, innså jeg at jeg inderlig ønsket at han skulle bli tilgitt for *sin egen skyld*. Han bar på så mange byrder, og *jeg ønsket at han skulle bli satt fri*. Jeg kan fortelle deg en ting – når du tilgir på den måten, vil du *elske å tilgi*. Da jeg sa, *"Jeg tilgir ham av hele mitt hjerte,"* skjedde det noe rart som jeg ikke hadde forventet meg.

Plutselig følte jeg meg fullstendig tom. Jeg følte meg så alene og sårbar i hjertet mitt. Jeg følte meg som et helt ubeskyttet barn. Når du ikke tilgir et menneske fra hjertet, holder du noe opp mot personen som skylder deg noe. Når du lar dem gå, er du tom.

Jeg tilga faren min og slettet gjelden. Jeg satte ham fri fra alle forpliktelser som far, fra å være noe han aldri kunne bli. Jeg sluttet å forvente noe fra ham, fordi det bare ville bety å legge en ekstra byrde på skuldrene hans. Jeg satte ham fri fra håpet om en dag å kunne gjøre opp med meg. Plutselig følte jeg med helt tom og fullstendig alene. Jeg følte meg som en liten gutt som ikke hadde noen til å beskytte seg.

Samtidig med at jeg ble oppslukt av denne følelsen, fikk jeg plutselig et underlig syn. I synet var jeg læreren i et klasserom med omkring tretti elever. Jeg skrek til disse tolvårige ungene, "Hvem av dere vil være en far for meg?" Barna så lettere forvirret på meg. De var jo bare barn. Hvordan kunne de bli en far for meg? Jeg skrek gang på gang, "Hvem vil være en far for meg?" men de visste selvsagt ikke hva de skulle si. Da la jeg merke til en hånd som ble rakt opp helt bakerst i klassen. Da jeg så over hodene på alle elevene, fikk jeg øye på vår himmelske Far. Han satt på gulvet bakerst i klasserommet og lente seg opp mot veggen. Og Han sa, "James, jeg vil være en far for deg."

Tilgivelse av hjertet skjer når du i ditt hjerte slipper den eller de som har gjort deg urett fri, og lar dem gå. Når hjertet ditt er bundet til en annen person fordi du ikke vil tilgi, er du heller ikke fri til å knytte deg til din himmelske Far. Når vi slipper moren eller faren vår fri fra hjertene våre, blir hjertene våre også satt fri til å knytte oss til vår himmelske Far, han som sier, "Jeg vil ta imot dere, jeg vil være deres Far, og dere skal være mine sønner og døtre" (2 Kor 6, 17-18). Du har en Far i himmelen som ønsker å kjenne deg dypt og inderlig. Du kan fortsatt være bundet til foreldrene dine med en uforsonlig ånd. Det er på tide at du tilgir dem av hjertet og slipper dem fri.

KAPITTEL 4

Sønnehjertet

∾

Jeg ønsker nå å avslutte fortellingen om det som hendte i kapellet den morgenen. Det var svært betydningsfullt når det gjaldt å lede meg inn i en erfaring av Fars kjærlighet.

Da Herren stilte meg det ransakende spørsmålet, "James, hvem sin sønn er du?", formidlet han noe utrolig viktig til meg. Jeg visste at spørsmålet han egentlig stilte var, "For hvem har du vært en sønn, på samme måte som Jesus er en sønn for meg?" Det var så mange dybder i dette spørsmålet at jeg ble stående en lang stund mens jeg forsøkte å finne fram til et svar. Jeg var fullstendig overrasket over spørsmålet Herren hadde stilt meg, og lurte svært på hvordan jeg skulle besvare det. Det var egentlig to spørsmål som surret rundt i hodet mitt samtidig, som to disketter som svirrer rundt i hver sin retning. I hodet mitt jobbet jeg meg igjennom alt jeg kunne tenke meg, i et forsøk på å finne fram til et svar på begge spørsmål. Hva skulle jeg si? Jeg var svært anspent og visste at Herren var i stand til å gjennomskue alt som foregikk i tankene, sinnet og følelsene mine. Som en prosjektør så han inn i mine innerste tanker for å se hvordan jeg hadde reagert på spørsmålet hans.

Det første jeg tenkte på som svar på spørsmålet, "James, hvem sin sønn er du?" var å komme opp med et navn, og det første navnet jeg fikk i tankene var min fars navn. Jeg tenkte at jeg bare kunne svare, "Jeg er Bruce Jordan's sønn," men så snart jeg fikk den tanken, innså jeg at jeg ikke kunne si det til Herren, fordi jeg allerede for lenge siden hadde sluttet å være en sønn for faren min. Selvsagt var jeg sønnen hans fra fødselen av, men jeg var ikke en sønn for ham på samme måte som Jesus var en sønn for sin Far. Så jeg måtte legge bort den tanken og skynde meg å komme opp med et annet svar.

Den neste person jeg tenkte på, var en eldstebror i menigheten der jeg ble frelst. Han var en bemerkelsesverdig mann. Hans navn var Ken Wright. Han hadde vandret i Ånden i mange år. Han var også den som hadde døpt meg. Jeg husker jeg en gang så reise-ruten hans for møter han skulle tale på gjennom to samfulle år over hele verden. I løpet av disse to årene skulle han ikke på noe sted oppholde seg mer enn fire dager, og han skulle besøke mer enn hundre forskjellige land. Når han talte, pleide vi å suge til oss hvert eneste ord, og vi opplevde at Guds Ånd som hadde tatt bolig i ham, bare overøste oss. Han gjorde et enormt inntrykk på oss, og han hadde virkelig en fars hjerte for oss.

Så da Herren stilte meg dette spørsmålet, "James, hvem sin sønn er du?" kom jeg plutselig på at jeg kunne si at jeg var Ken Wrights sønn, men straks jeg fikk den tanken, visste jeg at jeg ikke kunne si det, fordi (til tross for at jeg hadde snappet opp alt jeg kunne fra

Ken) jeg helt klart ikke hadde en sønns hjerte overfor ham. Jesus sa til sin Far, "Å gjøre din vilje gir meg glede," men jeg hadde aldri hatt noe ønske om å være Ken til behag. Jeg tok imot alt han ga som jeg kunne ha noen glede av. Jeg innså derfor at jeg ikke heller ikke kunne si hans navn til Herren. Hvem andre kunne jeg nevne? Jeg kunne ikke si Bruce Jordan. Jeg kunne ikke si Ken Wright, så hvem kunne jeg da si jeg hadde vært en sønn for?

Den eneste mann utenom dem jeg kunne komme på, var Neville Winger. Vi pleide å kalle ham "onkel Nev." Onkel Nev eide en vellykket bilforretning i New Zealand og solgte hele virksomheten for å kjøpe seg et gårdsbruk på en øy utenfor kysten av New Zealand. Det var et nedslitt gårdsbruk på drøye tre tusen mål med bakker og åser og med en vakker, men forrevet kystlinje. Han flyttet ut dit sammen med sin kone Dot. De hadde i mange år tatt til seg unge, vanskeligstilte gategutter i hjemmet sitt. Nev og Dot hadde et hjerte for unge mennesker, og de pleide å ta dem til seg i sitt eget hjem for å jobbe med dem. Han var derfor på utkikk etter et sted dit han kunne ta med disse ungguttene fra gata for å ta hånd om dem i sitt eget hjem. Han ønsket også å bygge opp et konferanse- og vekkelsessenter for New Zealand, og hadde kjøpt denne eiendommen for å kunne virkeliggjøre denne visjonen.

Nev var et sjeldent menneske, en sann åndelig far i nasjonen. Når han forkynte, talte han sterkt til meg, og jeg fikk lyst til å gå på bibelskolen han hadde startet. Og det kom vi etter hvert også til å gjøre. I likhet med Ken viste Nev på mange måter en fars hjerte overfor oss. Han profeterte ofte over oss, og i dag, mange år senere, er disse profetiene fortsatt relevante.

Jeg tenkte derfor at jeg kunne si til Herren, "Jeg er Nev Wingers sønn," men da Gud rettet sitt ransakende blikk på meg, innså jeg *nok en gang* at jeg heller ikke kunne si det. Sannheten var at jeg aldri hadde vært en sønn for ham i mitt hjerte. Jeg hadde vært en mottaker, og ikke en giver. En ekte sønn, slik Jesus var det, er alltid opptatt av det faren driver med. Jeg var aldri opptatt av hva faren min drev med, og heller ikke av det Ken Wright eller Nev Winger drev med. Jeg hadde aldri noensinne tenkt på hvordan jeg kunne være til velsignelse eller hjelp for disse mennene. Jeg hadde fullt og helt et farløst hjerte. Jeg vred meg og kjempet mens jeg ganske enkelt skulle ha svart, "Herre, jeg ikke sønn til noen som helst, og jeg har *heller ikke noe ønske* om å være en sønn." Jeg klarte ikke å innrømme det fordi det var noe annet på ferde. Da jeg lukket hjertet mitt for faren min, mistet jeg fullstendig det hjerte som kjennetegner en virkelig sønn.

SØNNEKÅRETS ÅND

Hva er det som kjennetegner det å være en sønn? For å forstå dette må vi ta utgangspunkt i Gal 4,4-5 der det heter,

"Men i tidens fylde sendte Gud sin Sønn, født av en kvinne og født under loven. Han skulle kjøpe fri dem som sto under loven, så vi kunne få retten til å være Guds barn."

Når vi blir født på ny, blir vi Guds sønner og døtre. Gud går imidlertid lenger enn dette. Paulus fortsetter i vers 6,

"Fordi dere er barn, har Gud sendt sin Sønns Ånd inn i våre hjerter, og Ånden roper, "Abba, Far!"

Fordi du har lovmessig rett til å kalles en sønn av Gud, har han utøst sin Sønns Ånd. Han har lagt sin Ånd ned i våre hjerter, Ånden som roper *"Pappa! Far!"* Et barn som er adoptert, roper ikke

"Pappa! Far!" Våre menneskelige hjerter roper ikke "Pappa! Far!" Det er Guds Ånd i oss som roper "Pappa! Far!"

Hans Sønns Ånd er utøst i våre hjerter. Da jeg lukket hjertet mitt for faren min, mistet jeg sønnehjertet. Så da Den hellige ånd ble utøst i meg, fantes det ikke noe tilsvarende sønnehjerte i meg. Fordi jeg hadde lukket hjertet mitt som sønn, var Den hellige ånd ikke i stand til å gi meg del i retten til å kalles en sønn av Gud. Dette er et helt vitalt poeng som Herren viste meg da han stilte meg dette spørsmålet. Han var på utkikk etter et hjerte som var åpent for å motta retten til å kalles en sønn.

Jesus opplevde dette da han ble døpt, da Den hellige ånd senket seg ned over ham. Da Gud kunngjorde, *"Dette er min Sønn, den elskede, i ham har jeg min glede,"* senket sønnekårets Ånd seg ned over ham. Der og da ble det proklamert for hele verden at Jesus var Guds Sønn. Forut for det var han Jesus fra Nasaret, Josef og Marias sønn, men nå ble det kunngjort at han var Guds Sønn. Denne hellige Ånd som falt over Jesus, er den samme Ånd som gir oss rett til å kalles sønner av Gud.

Mange kristne har kjent Den hellige ånd som den Ånd som har født oss på ny, men har til gode å erfare Den hellige ånd som gir oss rett til å kalles sønner av Gud. Følgelig kan vi bli fylt av Den hellige ånd uten å få del i livet som sønner av Gud. Når Den hellige ånd utøses i hjertet til et menneske som ikke har et sønnehjerte i forhold til sine egne foreldre, kan Ånden ikke fungere som sønnekårets Ånd i dette menneske. *Guds Ånd må finne en gjenklang inni deg for at den skal kunne bli reell i din livserfaring.*

Da jeg lukket hjertet mitt for faren min, mistet jeg sønnehjertet. Da jeg lukket hjertet mitt for faren min, hadde jeg ikke lenger noe sønnehjerte overfor andre farsfigurer – herunder også overfor Gud som Far.

Å FORHOLDE SEG TIL EN FAR

Dette var et stort problem for meg. Mange av de mennesker som fikk bety noe i mitt liv, hadde til en viss grad en fars hjerte overfor meg, men jeg kunne ikke forholde meg til det. Jeg forsto ikke at dersom du ikke har et sønnehjerte overfor din fysiske mor og far, har du ikke et sønnehjerte i det hele tatt, og derfor kan du heller ikke knytte en relasjon til noen som helst annen farsfigur, *inklusive* Gud som Far! På samme måte som det er helt nødvendig å gjøre Jesus til absolutt Herre for å kunne ha en relasjon med ham, er det også av helt avgjørende betydning å ha en sønns eller en datters hjerte for å kunne ha en relasjon med Gud som Far.

Dersom du ønsker å lære å kjenne Gud som Far, er det bare en måte å gjøre det på. Han kommer. ikke til å forholde seg til deg på noen annen måte enn som Far. Mange av oss er på et eller annet tidspunkt i livet blitt fedre, men Gud *ble* aldri Far, han var *alltid* Far og han vil alltid forbli Far. Han skapte universet, men han er ikke skaper av natur. Å skape er noe han gjør, men ikke den han er ut fra sin grunnleggende natur. Dersom faren din for eksempel er en ingeniør, forholder du deg ikke til ham på grunnlag av hans yrke, du forholder deg til ham på grunnlag av hans identitet i relasjonen dere imellom. Gud skapte universet, men han forholder seg ikke til deg som skaper. Han forholder seg til deg som en Far fordi det er det han er. Det at han er Far, er selve essensen i hans vesen. Jesus kom for å åpenbare for oss at Jahve er Pappa, at Jahve *er* Far.

Jeg tror at sannsynligvis mer enn nitti prosent av oss i den vestlige verden har lukket hjertene våre for foreldrene våre. Vi har omtalt dette på sofistikert vis, men i virkeligheten opplever mange mennesker det som temmelig fremmed å ha et intimt forhold til sine jordiske foreldre.

Da jeg befant meg der i kapellet og Herren talte disse ordene til meg, "James, hvem sin sønn er du?", så var det mitt hjertes tilstand han i realiteten var opptatt av. Jeg var ikke i stand til å svare. Jeg burde ha sagt, "Herre, jeg er ikke sønnen til noen som helst." Men jeg syntes det var vanskelig å si det. La meg forklare deg hvorfor.

ALLE GUDS MENN ER SØNN AV EN FAR

Så lenge jeg har vært en kristen, har jeg ønsket å være en Guds mann, på samme måte som salvede forkynnere. Jeg ba stadig vekk, "Herre, gjør meg til en Guds mann." Da jeg var i kapellet den dagen og forsøkte å komme opp med et navn jeg kunne si til Herren, var hodet mitt fylt av en annen tankeprosess. Det hadde sammenheng med ett av mine yndlingstemaer på den tiden. Da jeg gikk på bibelskolen, jobbet jeg med et omfattende prosjekt om kronologien i Det gamle testamentet. Mens jeg fordypet meg i mange av de kjente skikkelsene i Det gamle testamente, var det noe som hele tiden irriterte meg. Alle disse gammeltestamentlige heltene ble presentert som "sønn av..." Josva var sønn av Nun, Kaleb var sønn av Jefunne, David var sønn av Jesse. Hver eneste person jeg leste om ble presentert på samme måte, som sønn av en annen person.

Det ergret meg ikke så rent lite. Hvorfor ikke heller dikteren eller krigerkongen David?

Hvorfor ikke den store profeten Jesaja? Hvorfor ikke troshelten Kaleb? Jeg var så egenrådig at jeg tenkte, "Hvorfor kan ikke disse karene stå på sine egne ben? Hvorfor kan de ikke være skikkelige mannfolk? Hvorfor må de ha en pappa å lene seg mot?" Dette avslørte hvordan jeg egentlig hadde det i hjertet mitt i min relasjon til faren min.

Den dagen i kapellet følte jeg at Gud sa, "James, jeg har hørt at du har bedt meg om å gjøre deg til en Guds mann. Ønsker du å bli en Guds mann? Er det riktig oppfattet? Vel, *alle* mine menn er sønn av en annen. Så dersom du ønsker å bli en Guds mann, James, er spørsmålet, "Hvem sin sønn er du?"

JESUS VAR SØNN AV EN UFULLKOMMEN MANN

Jeg var *vel kjent med* hvor mye skade fedre kan forårsake. Visste ikke disse bibelske skikkelsene noe om hvor mye skade fedre kan forårsake? Du må være helt sprø for å kunne være sønn av et annet menneske! Jeg visste at Jesus var Guds Sønn, men jeg var i stand til å tilgi ham det fordi hans Far var fullkommen. Fullkomne fedre er ikke problemet; det er ufullkomne fedre som er problemet! Da innså jeg at Jesus for evig tid er kjent som Davids sønn. Hans tjeneste bygger i virkeligheten på Davids status som konge, og David var slett ingen fullkommen mann!

Mange menigheter i dag ville nok ha utestengt David fra å ha en tjeneste eller å utøve myndighet i menigheten, på grunn av hans feil og mangler. Men Jesus er tilfreds med å bli omtalt som en ufullkommen manns sønn. Jeg kunne ikke komme bort fra den kjensgjerningen. Jeg var fanget!

Jeg visste det ikke da, men den dagen kom til å bli avgjørende for resten av mitt liv. Omsider måtte jeg være ærlig og innrømme det, "Herre, jeg er ikke sønnen til noen som helst. Og hva mer er, jeg ønsker heller ikke å være det. Jeg er livredd for det. Vil du hjelpe meg?" Nærværet hans forlot umiddelbart rommet og jeg var igjen alene for meg selv i kapellet. Jeg følte at Herren hadde satt i gang med å jobbe med problemet mitt.

Å FINNE SØNNEHJERTET

Etter dette møtet begynte Herren å jobbe med meg for å gjenopprette sønnehjertet mitt. Som jeg skrev i det forrige kapitlet, handlet det i første omgang om å bli i stand til å tilgi pappaen min av hjertet. Da jeg kom til et punkt der jeg klarte det, ble hjertet mitt satt i frihet, men så begynte jeg å lure på hvordan jeg kunne få gjenopprettet en sønns hjerte i meg.

Jeg klarte ikke å komme opp med et svar på det. Jeg grublet og ba mye om det, men jeg kom ikke på noe spesielt. Hvordan kan du få en sønns hjerte tilbake når du har mistet det? Vel, hvor finner du vanligvis noe du har mistet? Du finner det på stedet der du har etterlatt det! Er det ikke slik? Dersom du kan finne tilbake til stedet der du mistet det, vil det være der. Så enkelt er det.

Jeg hadde altså mistet sønnehjertet i min relasjon til pappaen min. Det var der jeg hadde innestengt det. Derfor tenkte jeg at om jeg skulle kunne få igjen sønnehjertet, så måtte det ha noe å gjøre med faren min, men jeg visste ikke nøyaktig hva det var. Jeg kunne ikke se for meg noen annen løsning på hvordan jeg kunne finne sønnehjertet mitt igjen. Etter en stund begynte jeg å innse at det var en ting jeg kunne gjøre. Jeg hadde allerede tilgitt faren min for alt han hadde gjort eller unnlatt å gjøre. Men ikke desto mindre måtte jeg bare erkjenne at jeg ikke hadde behandlet ham på noen god måte. Jeg hadde lukket hjertet mitt for ham. Jeg kunne ha vært mye mer hyggelig og vist mer vilje til å tilgi ham. Jeg kunne ha vært mer takknemlig og hedret ham. Jeg hadde selv valgt å utestenge ham fra hjertet mitt. Da kom jeg på den tanken at jeg kunne skrive et brev til ham og be ham om tilgivelse for alt dette.

Som gutt hjemme hos moren og faren min hadde jeg som én av mine faste oppgaver å klippe plenen på baksiden av huset. Jeg gjorde det aldri uten at faren min først måtte presse meg til det. Jeg gjorde det aldri av egen fri vilje og gjorde aldri jobben skikkelig. Jeg prøvde å unngå hjørnene og overse deler av plenen som trengte til å bli klippet. Jeg pleide også å unngå ansvaret mitt ved å stikke av etter at jeg kom hjem fra skolen, for deretter å være ute helt til mørket falt på, slik at det ikke lenger var mulig å klippe plenen. Om det regnet, var jeg glad til, og brukte det som en unnskyldning for ikke å gjøre jobben. Dersom det ikke regnet, pleide jeg å gå ned til elven for å svømme eller å fange ål. Til slutt pleide faren min å legge press på meg og komme med forskjellige trusler, som å hindre meg i å leke. Og så klippet jeg motvillig og surmulende plenen. Ikke en eneste gang gjorde jeg det frivillig. Jeg tenkte jeg kunne be om tilgivelse for dette og for en del andre saker.

Men her sto jeg overfor et skikkelig problem. Hjemme hos oss var det ingen som noensinne sa at de var leie seg for noe. Det ble oppfattet som svakhet. Ingen ba noen gang om unnskyldning og ingen sa noensinne, "Jeg er glad i deg." Alt dette ble oppfattet som uttrykk for svakhet og jeg var følgelig redd for å be faren min om tilgivelse av frykt for at han kunne bruke det mot meg neste gang vi kranglet.

BREVET

Jeg bestemte meg for å begynne å skrive på utkastet til et brev og å jobbe med hvordan jeg skulle formulere meg, men jeg følte ikke at jeg kunne ta skrittet fullt ut og faktisk sende det. Om ikke for noe annet kunne jeg i brevet få gitt uttrykk for det jeg ønsket å uttrykke. Jeg ba om tilgivelse for at jeg aldri hadde klippet plenen slik han ønsket at jeg skulle gjøre det. Jeg ba om tilgivelse for at jeg ikke hadde hatt den rette holdningen til ham. Jeg ba om tilgivelse for at jeg kranglet så mye med ham. Jeg ba om tilgivelse for ting jeg hadde sagt til ham. Jeg ba om tilgivelse for ikke å ha utført mange av de oppgavene han ønsket at jeg skulle gjøre. Til slutt i brevet sa jeg, "Jeg ber deg om tilgivelse for at jeg lukket hjertet mitt for deg da jeg var ti år gammel, og at jeg ikke har vært en sønn for deg." Så la jeg brevet fra meg på en hylle der det ble liggende i to uker inntil jeg nevnte det for Jack Winter som svarte skarpt, "Vel, men nå må du snarest sørge for å postlegge det!" Og så han gikk han sin vei.

Nå hadde jeg et skikkelig press på meg! Jeg kjøpte en konvolutt og et frimerke og skrev på adressen, la brevet i konvolutten for så å legge det tilbake på hylla der det ble liggende i en måned. Da jeg skrev det, visste jeg at jeg ordla meg slik jeg ønsket å ordlegge meg, men jeg ville ikke lese det på nytt, av ren feighet. Til slutt bare visste jeg at jeg måtte få sendt det. Jeg visste at Jack en dag kom til å spørre meg om jeg hadde sendt brevet og jeg ønsket å kunne si at jeg hadde sendt det, så jeg bestemte meg for at jeg skulle ta med meg brevet "på en liten spasertur." Jeg forsikret meg selv om at jeg, når det kom til stykket, ikke ville sende det. Jeg ville bare gå en tur forbi postkassen.

Like ved der vi bodde, var det en rød postkasse ved siden av veien. Jeg gikk bort til den, stakk brevet inn i sprekken og tenkte, "Dersom jeg slipper brevet nå, vil han få det." Jeg trakk det raskt tilbake og fortsatte å gå bortover veien. Jeg gikk omkring fem og tjue meter og visste med meg selv at jeg bare måtte få sendt det av sted. Så gikk jeg tilbake, la brevet i sprekken – og slapp det! Umiddelbart følte jeg det som om jeg fikk et spark i magen. Jeg gråt hele veien tilbake til huset der vi bodde, gikk rett opp på soveværelset vårt, la med ned på sengen og gråt. Jeg var redd for hvordan min far ville reagere når han fikk brevet.

Like etterpå dro vi opp til den nordlige delen av Minnesota til et leirsted som Jack Winters organisasjon hadde kjøpt. Vi kjørte av gårde i retning av dette senteret og jeg sa til Denise, "Når vi kommer fram, skulle jeg virkelig ønske å få være en sønn for lederskapet der." Jeg hadde tidligere gjort meg slike tanker og jeg var helt overrasket over at ordene slapp ut av meg! Det var det første tegnet på at en forandring var i ferd med å skje! Mens vi var der, kom Jack Winter og talte på nytt om Fars kjærlighet. Jeg hadde hørt ham tale om dette temaet mange ganger før, men hadde aldri virkelig forstått det. Jeg pleide å knele ned ved siden av ham når han ba for mennesker om at de måtte få erfare Fars kjærlighet. Jeg pleide å se dem gråte når de tok imot legedom for sårene i livene sine, og jeg merket Guds nærvær, likevel uten å forstå hva som foregikk.

EN OVERFØRING AV FARS KJÆRLIGHET

Etter å ha hørt Jack tale om Fars kjærlighet, sa jeg til ham, "Jack, nå forstår jeg omsider hva du snakker om. Vil du be for meg?" Han hadde vært på utkikk etter en anledning til å be for meg, så han sa ja med en gang. Han tok med meg inn i et lite rom bakerst i lokalet, og der satte jeg med ned i den eneste stolen i rommet. Jack knelte ned ved siden av meg og så meg rett inn i øynene. "Kan du være en liten gutt som har behov for å bli elsket?" spurte han. Jeg tenkte for meg selv, "Jeg er en niogtjue år gammel mann. Jeg er ikke noen liten gutt!" Men da jeg så inn i Jacks øyne, visste jeg på en eller annen måte at han så meg slik jeg virkelig var. På utsiden så jeg sprek og sterk ut, i stand til å klare det meste, men på innsiden var jeg en liten gutt som trengte å bli elsket fordi jeg aldri hadde kjent en fars kjærlighet.

Sannheten er at du, om du aldri tidligere har opplevd en fars kjærlighet, fortsatt trenger en fars kjærlighet i dag. Og jeg sa til ham, "Jeg vet ikke, Jack, men jeg kan forsøke." Han ba meg om å legge armene mine rundt nakken sin, som en liten gutt som har behov for å gi faren sin en klem. Jeg hadde aldri i hele mitt liv klemt en mann, men jeg la armene mine rundt nakken hans. Jeg følte meg utrolig utilpass og ønsket bare å få komme meg vekk fra denne situasjonen og løpe ut av rommet, men han la raskt armene sine rundt meg og holdt meg fast tett inn til seg. Han lot meg ikke være det minste i tvil om at jeg ikke kom til å slippe fri før han hadde gjort seg ferdig! Så ba han en helt enkel bønn, "Far, vil du komme nå og gjøre det slik at mine armer blir til dine armer rundt denne unge mannen." I det samme øyeblikk var det ikke Jack som holdt meg lenger, jeg ble holdt av Gud. Han fortsatte, "Vil du komme og fylle hjertet hans med din kjærlighet, fordi han aldri tidligere har kjent en Far som deg." Etter en to tre minutter var han ferdig og jeg reiste meg opp igjen.

Fra da av syntes det som om alt var annerledes. Hver gang jeg begynte å be, kom ordet "Far" helt spontant ut av munnen min. Jeg følte det som om min ånd hadde rørt ved Far. I virkeligheten var det Far som hadde rørt ved min ånd.

Noen uker senere fløy vi tilbake til New Zealand. Vi dro for å besøke moren til Denise i Taupo, der vi bor nå. Vi var der i to uker, men fordi jeg var redd for å møte faren min og hans reaksjon på brevet mitt, ønsket jeg ikke å besøke foreldrene mine. Etter et par uker sa jeg omsider til Denise, "Vi må bare besøke dem. La oss komme oss av gårde og få det overstått." Vi satte oss inn i bilen, kjørte av sted og tilbrakte ettermiddagen sammen med foreldrene mine, for så å kjøre tilbake til Taupo. Faren min nevnte ikke brevet med et ord.

Vi besøkte dem på nytt noen måneder senere, men fortsatt nevnte han det ikke. Nok et besøk enda noen måneder senere, men han nevnte det fortsatt ikke. Så gikk det fem år. Nå var jeg blitt trettifem år gammel, og faren min hadde aldri nevnt brevet. Jeg begynte å lure på om han hadde fått det. Så en dag spurte jeg moren min, "Da vi var i statene for noen år siden, skrev jeg et brev til pappa. Vet om du om han fikk brevet?" Moren min sa, "Å ja! Han fikk det! Han har det faktisk fortsatt. Han oppbevarer det i en skuff ved siden av sengen sin!" Da hun sa det, innså jeg at brevet betydde mye for pappaen min. Det var så dyrebart at han ikke ville ta det opp i en krangel. Faren min ville aldri ha klart å si, "Min sønn, jeg tilgir deg." Jeg hadde aldri hørt ham si, "Beklager," eller "Jeg er glad i deg" eller noe lignende. Han ordla seg aldri i slike baner, men jeg forsto likevel at brevet betydde mye for ham, så derfor antok jeg at han hadde tilgitt meg. Året gikk og jeg bestemte meg en dag for at jeg skulle fortelle faren min at jeg var glad i ham.

I hjertet mitt følte jeg ikke noen kjærlighet til faren min, men jeg tenkte at dersom jeg sa det ut fra en viljesbeslutning, ville Gud belønne det ved også å gi meg følelsen av å elske. På samme måte som bygningsarbeidere heller sement i en forskaling, ville Gud, når jeg erklærte at jeg elsket ham, sørge for rammen å helle kjærligheten ned i. Jeg skulle bare si ordene "Jeg elsker deg" og stole på at Gud ville gi meg kjærlige følelser for faren min. Når sant skal sies, ville jeg mye heller ha besteget Mount Everest. Det var en uhyre krevende sak å gjøre. Men gjennom alle de kranglene jeg hadde hatt med faren min, hadde han lært meg en ting, og det var å si rett ut de ordene som den andre parten ville synes det var tøft å høre. I virkeligheten falt det meg lett å gjøre det den gang mange år tidligere. Så jeg traff en beslutning om å fortelle ham at jeg var glad i ham.

"Jeg er glad i deg, pappa"

Neste gang vi besøkte dem var jeg på utkikk etter en anledning til å si det. Jeg håpet at han ville komme inn på kjøkkenet og planla å følge etter ham dit for å få meg et glass vann. Og så ville jeg si, "For resten så er glad i deg, pappa," og gå tilbake til dagligstuen. Men han gikk ikke inn på kjøkkenet og derfor fikk jeg ham aldri for meg selv. Til slutt var vi klar for å forlate dem for å kjøre hjem igjen, og jeg tenkte at jeg hadde gått glipp av anledningen. Pappaen min hadde en spesiell vane. Hver gang folk var på besøk, pleide han alltid å stå i kjøkkenet som gjestene måtte passere for å forlate huset. Han pleide å stå med ryggen til kjøleskapet og trykke hver enkelt av gjestene i hånden idet de gikk ut. Faren min lærte meg ikke mye i livet mitt, men når jeg var fire år gammel, lærte han meg å håndhilse på folk. Jeg kan fortsatt huske det ord for ord i hver minste detalj. Han sa, "Når du håndhilser på en mann, må du ta et fast grep, ikke noe slapt og dvaskt håndtrykk. Rist hånden to eller tre ganger og slipp. Du må ikke berøre en mann for lenge!"

Så var tiden kommet til at vi skulle forlate huset og jeg håndhilste på pappaen min – jeg ristet hånden hans to eller tre ganger og så slapp jeg hånden hans og vi forlot huset. Da jeg kom til hushjørnet, tenkte jeg, "Nå vil jeg gjøre det!" Og så snudde jeg meg og så forbi min egen familie i retning av mamma og pappa og sa, "Farvel, mamma og pappa. Jeg er glad i deg, pappa!" for deretter raskt å runde hushjørnet. Denise og barna fulgte etter meg mot bilen og vi kjørte av sted! Jeg hørte ikke noe skrik eller bråk, så jeg kom meg da ut av det!

Den *neste* gangen vi skulle besøke dem, tenkte jeg at jeg skulle gjøre det samme på nytt. Jeg skulle si, "Jeg er glad i deg" på nytt. Da jeg denne gangen hilste ham farvel ved kjøleskapet, gjorde jeg det som før – et fast håndgrep, for så riste med hånden to eller tre ganger – men denne gangen slapp jeg ikke taket og han så opp mot meg. Jeg så ham rett inn i øynene og sa, "Jeg er glad i deg, pappa" og slapp taket og gikk ut av huset. Da jeg kom ut på plenen, så jeg meg tilbake mot døråpningen og der stod pappaen min fortsatt og stirret på hånden sin. Faren min hadde i hele sitt liv aldri hørt noen si disse ordene til seg, og spesielt ikke av en mann. Moren min hadde sagt det i en kort periode i sin ungdom og når de giftet seg, men så sluttet hun med det. Med voksende mot bestemte jeg meg for at jeg ville gjøre det samme på nytt neste gang vi besøkte dem.

Da vi skulle forlate dem, strakte han fram hånden for å ta farvel med meg, og jeg tenkte at det var litt demonstrativt! Men denne gangen tok jeg ham ikke i hånden, jeg la i stedet armen min inn under hans arm, og hvisket inn i øret hans, "Jeg er glad i deg, pappa." Han nikket nesten umerkelig med hodet, men det var som å omfavne en trestamme. Hver eneste muskel i kroppen hans var spent. Etter det ville jeg benytte enhver anledning når vi besøkte dem til å si, "Jeg er glad i deg, pappa."

Tre år senere ringte faren min sent en kveld. Vanligvis var det alltid moren min som ringte, og dette var den andre gangen i hele mitt liv at det var faren min som ringte meg. Han sa, "Det er en rugbykamp i byen i nærheten av der du bor, og jeg kommer over for å se på kampen. Jeg lurte på om jeg kunne få komme og overnatte hos dere?" Faren min hadde aldri bodd hos oss før. Han hadde bare besøkt hjemmet vårt en eller to ganger, og på dette tidspunkt hadde vi vært gift i atten år. Han kom etter kampen og så sa han, "Det er noe jeg ønsker å si til deg." Denise fikk det travelt i den andre enden av huset, og lot oss være alene.

Vi satt sammen alene hele kvelden og han klarte ikke å si det. På nytt og nytt forsøkte han å ta saken opp. Han sa gjentatte ganger, "Jeg er kommet fordi jeg ønsker å si deg noe." Og så stoppet han brått opp og så på meg, som om han fortvilet forsøkte å få ordene ut, men han klarte det ikke, og så begynte han å snakke om rugbykampen igjen, eller noe annet. Men omsider sa han det, "Jeg har aldri hørt noen si de ordene til meg i hele mitt liv, bortsett fra moren din." Han sa også, "Så langt jeg vet, sier ikke mannfolk slike ord til hverandre." Og senere sa han, "Under krigen stifter du ikke vennskapsforhold med noen andre, fordi når de dør, kan du ikke gjøre jobben deres." Alt dette kom ut av ham mens han satt der sammen med meg.

Nå er jeg den yngste i familien min. Broren min er naturviten-skapsmann, og foreldrene mine var veldig stolt av ham da de var til stede under den høytidelige vitnemålsutdelingen på universi-tetet. Han var den første i familien vår som tok akademisk utdan-ning, trolig helt tilbake til Adams tid! Søsteren min jobbet på en TV-stasjon og hver torsdag kveld satt foreldrene mine og så på et spesielt TV-program, bare for å se navnet hennes på rulleteksten ved avslutningen av programmet. De var veldig stolt av henne. Selv hadde jeg mer anlegg for akademiske studier enn noen andre i familien min, men det eneste jeg ønsket meg var å bli jeger i viltoppsynet og få leve ute i villmarken. Jeg gjorde ikke noe av det som foreldrene mine ønsket at jeg skulle gjøre, og faren min var ikke noe stolt av meg. Da jeg ble en kristen, ble det enda verre. Det ble bare noe nytt å krangle om. Men den kvelden, da han bodde hos oss etter rugbykampen, sa han, "Det er noe annet jeg har behov for å si deg."

Han ble veldig alvorlig. Det var svært vanskelig for ham å snakke om disse tingene, men han sa til meg, "Det kan komme en tid da enten moren din eller jeg blir etterlatt alene i live," og det var alt han sa. Han så på meg som om han ville si, "Vær så snill å forstå det jeg sier. Vær så snill å la meg slippe å si alt." Jeg var sjokkert over det han spurte meg om. Jeg var den yngste sønnen hans, og den som ikke hadde oppfylt forventningene hans. Alt jeg kunne svare ham var, "Pappa, hvis det skulle skje at du blir etterlatt alene, kan du få komme og bo hos oss." Jeg kunne se at han senket skuldrene som om en vekt var blitt løftet av ham, men fortsatt hadde han ikke sagt det han kom for å si.

Timene gikk, til slutt nærmet det seg midnatt og da brakte han spørsmålet opp igjen. Han sa, "Jeg er kommet fordi jeg ønsker å si deg noe." Han var på nippet til å si det, men klarte det ikke. Til slutt sa han, "Jeg vil at du skal vite," mens han så på meg et bønnfallende blikk, "Hjelp meg å si det!" Det var intet jeg kunne gjøre for å hjelpe ham. Alt jeg kunne gjøre, var å sitte stille og vente og til slutt ... Han sa det aldri, men var nære på å si det. Han presset fram ordene, "Jeg vil at du skal vite at moren din og jeg er glad i alle barna våre." Jeg svarte, "Jeg er også glad i deg, pappa," og han nikket med hodet som for å bekrefte det han egentlig mente å si.

"JEG ELSKER DEG, SØNN"

Årene gikk og endelig en dag sa faren til meg, "Jeg er glad i deg, sønn!" Det var i 2001 og han hadde da vært innlagt på sykehus i seks eller sju år. På grunn av diabetes hadde han måttet amputere den høyre leggen, og han var sterkt synshemmet. Han kunne ikke se på TV. Alt han var i stand til å skjelne, var lyset fra vinduet, og han kunne ikke se hva som foregikk på utsiden av vinduet. Han hadde hatt flere mindre slag og mistet korttidsminnet, selv om langtidsminnet fortsatt var intakt. Jeg dro for å se til ham fordi vi skulle reise av gårde på en lengre tur til Europa, og for første gang i mitt liv kunne jeg føre en samtale med ham uten at han begynte å vri og vende på alt jeg sa. Denne delen av personligheten hans var fullstendig borte.

Jeg fortalte ham hvordan jeg som gutt hadde opplevd kranglingen som alltid preget relasjonen oss imellom. Han satt stille og lyttet og forsto, uten å ta til motmæle. Mens vi snakket, sa han tre ganger, "Jeg er lei for det!" Faren min hadde aldri bedt noen om unnskyldning. Tre ganger den dagen sa han, "Jeg elsker deg, sønn." Da jeg var i ferd med å gå ut av døren, sa han, "Å, forresten..." Jeg snudde meg mot ham og da sa han, "Du skal vite at jeg alltid har vært glad i deg!"

Jeg husker at jeg, etter å ha forlatt ham, dro hjem til moren min for å fortelle henne hva vi hadde snakket om, og hva pappa hadde sagt. Da sa hun, "Vet du hva faren pleide å gjøre når du smalt igjen døren etter deg og gikk ut i kveldsmørket? Han gikk inn på soveværelset og lukket døren. Han ville ikke la meg slippe inn, fordi han gråt."

En stund senere oppholdt vi oss i England der vi var i ferd med å avslutte en hektisk og anstrengende serie med møter. Det var den siste kvelden og vi holdt på med å be for den siste lille gruppen med mennesker. En av mennene i kirken kom opp til meg og sa, "James, du har fått en telefonoppringning fra New Zealand. Det er broren din." Jeg visste selvsagt hva det var. Jeg hadde lurt på hva jeg skulle gjøre dersom faren min døde mens jeg var utenlands. Burde jeg avlyse konferansene? Burde jeg reise hjem? Spilte det noen stor rolle? Hva skulle jeg gjøre?

Så jeg gikk og snakket med broren min og han fortalte at pappa hadde sovnet inn for en halv time siden og han ba meg innstendig om å komme hjem og forrette i begravelsen. Jeg fløy tilbake til New

Zealand mens Denise ble jeg igjen i England. Begravelsen fant sted dagen etter at jeg ankom og jeg sa at det overrasket meg at pappa hadde ønsket at jeg skulle forrette i begravelsen. Han hadde alltid kranglet med meg og gitt meg inntrykk av at han var sterkt imot kristendommen.

Jeg husker at jeg stod foran i kirken og talte under begravelsen. Det var ganske mange mennesker til stede, og mens jeg stod der og så meg omkring i kirkerommet, lurte jeg på om det i det hele tatt var noen av de tilstedeværende som hadde vært oppriktig glad i faren min. Han hadde kranglet med alle. Da jeg så på kisten ved siden av meg, tenkte jeg, "Kanskje ønsket han at jeg skulle forrette i begravelsen hans fordi han visste at jeg hadde en sønns hjerte for ham?"

SØNNEKÅRETS HJERTE

Slik var livet mitt med faren min. Når jeg ser meg tilbake, er det fineste jeg kan huske øyeblikket da jeg stakk konvolutten inn i brevsprekken. Hvorfor? Fordi at da jeg slapp konvolutten med brevet jeg hadde skrevet til ham ned i postkassen, gjenopprettet Gud sønnehjertet mitt i meg, og for meg var det inngangsporten til et nytt liv der jeg skulle få lære å kjenne min himmelske Far.

Jeg tror de fleste av oss har mistet sønnehjertet overfor vår jordiske far og mor. Hvordan kan vi få det tilbake? Vi vil finne det på det stedet der vi en gang mistet det.

Sannheten er at du ikke kan kjenne Far fullt og helt med mindre du har hjertet til en sønn eller en datter. Du kan få en berøring av ham. Du kan ha en opplevelse av at han elsker deg. Du kan til og med kjenne at han i sin kjærlighet rører ved hjertet ditt og følelsene dine. Men du kan ikke ha en intim relasjon med ham som Far dersom du ikke har en sønns hjerte. Mange mennesker har et møte med sin himmelske Far, men bare de som har en sønns eller en datters hjerte kan leve kontinuerlig med ham som en far. Når du lærer ham å kjenne som en far og hans kjærlighet begynner å røre ved deg og fylle ditt hjerte, vil nettopp denne kjærligheten, over tid, lege hjertet ditt kontinuerlig. Denne kjærlighet vil gradvis fylle ditt innerste vesen og fylle opp alle tomrom i deg. Og når den har fylt opp alle tomrom, vil den begynne å vokse og føre deg til et sted der hans kjærlighet vil være som et mektig hav som du kan svømme i.

Fordi så mange av oss har stengt våre hjerter for våre jordiske fedre og har mistet våre hjerter som sønner og døtre, så har kanskje også du et brev du bør skrive til faren eller moren din eller til begge to. Kanskje vil en telefonsamtale eller en samtale ansikt til ansikt være mer formålstjenlig. Jeg overlater avgjørelsen til deg, men det er to ting jeg er helt sikker på. For det første: hvis du ikke har en sønns eller en datters hjerte overfor foreldrene Gud ga deg, kan du heller ikke ha en virkelig relasjon med Gud som din Far, og du vil måtte gå igjennom livet fanget i en foreldreløs tilstand.

For det andre: dersom du står i en eller annen form for kristen tjeneste, vil du kontinuerlig stå overfor en barriere som hindrer deg i å ha en effektiv tjeneste, av den enkle grunn at du først må få en sønns hjerte for å bli lik Jesus. Dersom du ikke har dette sønneh jertet, vil din evne til å tale og handle som Jesus være begrenset. Det heter i Hebreerbrevet 1,1-2, "Mange ganger og på mange måter har Gud i tidligere tider talt til fedrene gjennom profetene. Men nå, i disse siste dager, har han talt til oss gjennom Sønnen." Han foretrekker fortsatt å tale gjennom sønner! Denne åpenbaring av Far og hans kjærlighet er av helt avgjørende betydning for så vel menighetens fremtid som for våre liv som enkeltmennesker.

KAPITTEL 5

Gud er vår virkelige Far

~

Som ung kristen begynte jeg å be og spørre Herren om å la meg få se ting slik han ser dem. Jeg ønsket i sannhet å kunne forstå livet slik Gud ser det. Ordspråkene 14,6 sier, "... *kunnskap kommer lett for den som har forstand*" (Bibelen – Guds Ord). Mange mennesker er på leting etter kunnskap, men dersom du har forstand, kommer kunnskapen lett. Jeg ønsket å leve mitt liv ut i fra et perspektiv som lå tettest mulig opp mot Guds liv. Når vi ser alt som skjer i Guds perspektiv, opplever vi sann og ekte fred i våre liv. Kunnskap kan føre med seg forvirring, men når du har forstand, eier du fred fordi du er i stand til å se Guds planer og hensikter bak alt som skjer.

MENINGEN MED LIVET

Da jeg var tolv år gammel, flyttet familien min fra den lille landsens byen der jeg hadde vokst opp. Jeg elsket å bo der og hatet å måtte flytte, men midt i alt jeg strevde med i mitt indre begynte jeg å få en hunger etter å oppdage hva livet virkelig handlet om. Jeg kan huske at jeg en kveld gikk ut for å se på stjernene, og i hodet mitt tenkte jeg på at læreren min hadde sagt at stjernene vi kunne se, bare var en liten del av et uendelig verdensrom. Det fantes ingen stor mursteinsvegg ved verdensrommets ytterste grenser. "Men om det så var," sa han, "hva tror du da at det er bak veggen?" Det hensatte mitt barnesinn i fullkommen panikk, fordi jeg tenkte at selv om det fantes noe bortenfor tid og rom, hva ville det i så fall være bortenfor der igjen? *Det kan ikke finnes noen ende, alt bare fortsetter og fortsetter!*

Jeg husker jeg spurte foreldrene mine om meningen med livet. Hva dreier det seg egentlig om? Hvem er vi egentlig og hva er det vi gjør her? Hva betyr alt sammen? Hvordan har det seg at jeg lever? Hvordan har det seg at jeg kan tenke og er bevisst? Som ung gutt var jeg veldig opptatt av slike spørsmål. En mann sa til meg, "Ikke bry deg om det. Når du blir eldre, vil du ikke bry deg noe mer om slike spørsmål!" Det er det tåpeligste svar jeg noensinne har hørt. Det tilfredsstilte meg ikke på noen som helst måte. Jeg tenkte med meg selv, "Denne mannen har etter alt å dømme stilt de samme spørsmålene selv som ung, og nå er han en gammel mann og *fortsatt* har han ikke funnet svarene." Alt dette skapte mye kaos og forvirring inni meg. Det er ikke noe lettere å stille spørsmålene nå enn den gangen.

Da jeg gikk på skolen, ble jeg fortalt at evolusjonen var svaret på disse spørsmålene. Mange av oss ble undervist at menneskeslekten dukket opp på jorden som følge av en endeløs rekke med tilfeldigheter. Det var ikke noen som helst dypere mening bak alt sammen. Livet var bare en funksjon av værforholdene, kombinert med kjemiske reaksjoner i mineraler, og langt om lenge, midt i denne rekken av tilfeldige omstendigheter, oppstod vi som mennesker. Og videre ble vi fortalt at tiden går sin gang og at jorden fortsetter sin gang rundt solen mens den kontinuerlig dreier rundt sin egen akse. Etter hvert som tiden går, vil dette kretsløpet til slutt langsomt avta. Solen vil miste sin varme og alt på jorden vil dø. Summen av det hele var at alt er fullstendig meningsløst.

Med dette som utgangspunkt lurte jeg på hva vitsen var med å gå på skolen? Mitt spørsmål lød slik, "Hvorfor skal jeg gå og lære meg hvordan jeg kan få en bedre inntekt? Bare for å få barn som heller ikke for sin del vil få svar på sine mange spørsmål? Ja, de vil nok få seg en utdanning, men de vil måtte streve for å klare seg økonomisk – bare for til slutt ved enden av livet å måtte konkludere med at alt har vært uten mening! Og til slutt vil solen bli kald og alt vil forsvinne, og summen av det hele vil være at alt har vært fullstendig meningsløst!" Jeg strevde med å motivere meg selv til å prestere noe som helst. Jeg stilte spørsmål ved andres rett til å fortelle meg hva som er rett og galt og hvordan jeg bør leve mitt liv.

For noen år siden ble det fremlagt en rapport som påviste at (blant alle de høyest utviklede nasjoner) hadde New Zealand den høyeste selvmordsraten for tenåringer. Med ett var alle TV-skjermer fulle av folk som kom med sine synspunkter om denne rapporten. Politikere ble intervjuet og luftet sine synspunkter. Mange psykiatere og psykologer kom med sine ulike teorier. Jeg påstår ikke at min mening er mer gyldig enn andres – men jeg tror at dersom tenåringer får høre at livet deres ikke har noen mening og at livet bare kan beskrives i biologiske termer, da er det ikke unaturlig at de spør seg om poenget med å forlenge lidelsen. Jeg kan godt forstå hvorfor unge mennesker begår selvmord dersom de tror at evolusjonslæren er sann. Hvorfor ikke bare å gjøre slutt på det hele? Hvorfor vente på at livet skal ta slutt på naturlig vis?

VI ER ALLE GUDS SLEKT

Det jeg nå ønsker å belyse, er noe som har gitt meg en ubeskrivelig fred. Det har mer enn noe annet satt meg i stand til å ha ro i mitt hjerte når det gjelder spørsmål og problemer jeg møter i livet. Ettersom årene har gått, har jeg forstått litt mer av hva alt dreier seg om og jeg har lært meg å se på tingene ut fra et helt annet perspektiv. I en tidligere periode i livet følte jeg at jeg forsto evangeliet fullt ut. Alt syntes så logisk for meg, og likevel var det et troverdighetsgap når jeg så på mitt eget liv. Jeg kunne se at jeg manglet autoritet og kraft i livet mitt, og at jeg som følge av dette ikke var i stand til å velsigne mennesker jeg kom i kontakt med. Hvorfor skjedde det ikke mer når jeg hadde den rette forståelsen av evangeliet? Hvorfor så jeg ikke mer frukt og effektivitet slik som i Jesu liv? Så jeg tok tid alene med Herren. Jeg ga alt jeg tidligere hadde lært tilbake til ham og ba ham om å rense min forståelse og åpne mitt hjerte for mer innsikt. Jeg ba om at han måtte ta alle de sannheter jeg var blitt gitt, og la meg få gjennomgå en prosess der jeg lærte meg å skjelne mellom rett og galt i lys av hans kjærlighet og sett ut fra hans perspektiv. Det er kanskje unødvendig å fastslå at han begynte å lære meg en god del mer?

Noe av det som innledningsvis bidro til å endre min forståelse, skjedde da jeg leste Paulus' budskap til filosofene i Aten, slik det er gjengitt i det syttende kapittel i Apostlenes gjerninger. Jeg tror at dersom du forstår det jeg skriver om i dette kapitlet, så vil det bety en enorm forskjell i måten du lever ditt liv på og hvordan du opplever din relasjon med Gud. Når du leser denne teksten, bør du huske på at det blant tilhørerne til Paulus ikke fantes en eneste kristen. I talen sin sier Paulus,

"Gud, han som skapte verden og alt som er i den, han som er herre over himmel og jord, han bor ikke i templer reist av menneskehender. Han trenger heller ikke noe av det som menneskehender kan tjene ham med. Det er jo han som gir liv og ånde, ja, alt til alle. Av ett menneske har han skapt alle folkeslag. Han lot dem bo over hele jorden..." (v. 24).

Det er en meget interessant uttalelse. *"Av ett menneske har han skapt alle folkeslag. Han lot dem bo over hele jorden..."* Ett av Guds påbud i Edens hage var faktisk at mennesket skulle fylle jorden og legge den under seg. Mennesket skulle spre seg ut over hele jorden og bebo den. Så fortsetter apostelen,

"... og han satte faste tider for dem og bestemte grensene for deres områder."

La meg få komme med en kort kommentar her: det er ikke hovedpoenget mitt, men Paulus kommer her med en interessant uttalelse. Gud har forutbestemt tidspunktet for vår fødsel og vårt fødested. Vi kommer fra ulike nasjoner og kulturer. De som grunnla og befolket nasjonene våre, forsøkte ikke nødvendigvis å gjøre Guds vilje, men midt i alt dette var tidspunktet og stedet for vår fødsel på en eller annen måte en del av Guds plan for hele menneskeheten. Det er ikke en feiltakelse at jeg er fra New Zealand og at du har en annen nasjonalitet. Det er ingen feiltakelse, for det var *Gud* som bestemte når du skulle leve og hvor du skulle bo. Han gjorde dette for at menneskeheten skulle søke ham.

Så kommer Paulus med et annet interessant utsagn der han siterer en sekulær gresk dikter. Det er viktig å være klar over at Paulus hadde et fremragende intellekt og han var en lærd mann. Som student hadde han sittet ved Gamaliels føtter; Gamaliel var den fremste læreren i den grenen av fariseere han tilhørte. Paulus hørte med blant de dyktigste studentene på sin tid. Han sa at han gikk lenger i sin jødedom enn mange jevnaldrende i sitt folk (Gal 1,4). Et annet sted sier han at han "ikke sto noe tilbake" i forhold til andre. Han vokste opp i en by som het Tarsus, en universitetsby i det romerske riket. Det er ingen tvil om at han raget blant de fremste i kunnskap og i å overholde loven. Innen han var tolv år gammel, måtte han allerede ha lært seg store deler av Mosebøkene utenat. Det var hva man vanligvis forventet av gutter der han vokste opp. Han var en smart, liten gutt, og (fordi han vokste opp i en universitetsby) forestiller jeg meg at han og familien hans kom i berøring med mange ulike kulturer innen Romerriket. Han var uten tvil i berøring med gresk kultur som var datidens dominerende kultur og han hadde trolig lært seg et gresk dikt (av Aratus, en dikter som bodde i hjembyen hans Tarsus) som han nå var i stand til å huske. I dette skriftavsnittet leser vi at Paulus talte til en gruppe grekere som ble regnet med blant de ledende filosofer i Aten. Vi vet at disse grekerne var veldig opptatt av ikke å krenke noen av gudene. I sin filosofi var de veldig religiøst anlagt og de ønsket å gardere seg på alle måter, for å si det slik. Så de bygget et alter til ære for "den ukjente gud."

Disse filosofene hadde hørt Paulus tale i byen, og derfor ba de ham om å komme og tale til dem. Mens han talte til dem, siterte han et spesielt gresk dikt. Jeg synes det er morsomt at en gresk dikter har skrevet minst en verselinje som har endt opp med å bli sitert i Den hellige skrift. Jeg er sikker på at han ikke var seg bevisst at han skrev et bibelord da han førte dette verset i pennen. Og enda til har Paulus sitert verset som om det utrykker en sannhet, ja som om det faktisk er å forstå som Guds visdom. Det er et inspisert skriftavsnitt, og som sådan er det innåndet av Guds Ånd. Ett eller annet sted underveis i dikterens tankeprosess har Gud åndet på det han skrev ned, og Paulus brukte det som et overbevisende argument overfor disse greske filosofene. Han sa,

"For det er i ham (i betydningen jødenes Gud) vi lever, beveger oss og er til, som også noen av deres diktere har sagt: 'For vi er hans slekt.'"

I vers 29 fortsetter han, *"Fordi vi altså er Guds slekt..."*

Jeg hadde lest dette skriftavsnittet mange ganger tidligere uten å ha festet meg noe særlig ved det. Nå da jeg festet meg ved det, syntes jeg det var problematisk, fordi Paulus talte til en *fullstendig ikke-kristen* forsamling og sa til dem, "Vi er Guds slekt. Vi er Guds barn." Poenget er nemlig at jeg var blitt opplært til å mene at jeg ble Guds sønn da jeg *ble en kristen.* Jeg ble hans barn i det øyeblikk jeg ble født på ny, og uten at jeg er blitt født på ny, kan jeg ikke komme inn i himmelens rike. Og det er absolutt sant. Likevel syntes det å være et problem her fordi Paulus sier til disse greske filosofene, "Fordi vi altså er Guds barn, fordi vi er hans slekt, fordi vi har vårt utspring i ham, fordi vi er hans barn..." Mitt problem var at jeg ikke på noen som helst måte var i stand til å forstå hvordan Paulus kunne si til disse ikke-kristne grekerne at de var Guds barn!

Jeg ønsker her og nå å gjøre det helt klart at med mindre vi er født på ny, vil vi aldri kunne erfare noen av de godene vi har som Guds barn. Det er en absolutt sannet og den er hevet over enhver diskusjon. Men for at dette skriftavsnittet skal kunne regnes som inspirert av Gud og faktisk uttrykke en guddommelig sannhet, må det være noe mer i det Paulus sier her. Jeg var jo blitt fortalt at jeg vandret i mørket før jeg ble en kristen. Jeg var blitt fortalt at Satan var min far fordi jeg vandret på hans veier. Men Paulus slo fast at vi *alle, til og med* de som ikke er "født på ny", er Guds slekt. Dette overrasket meg virkelig. Jeg hadde jo lært at vi blir født på nye ved Guds Ånd, og at denne nye fødsel er vår inngangsport til livet som Guds barn. Paulus sa likevel noe annet her, og det kan høres ut som om det ikke er i samsvar med allment vedtatt kristen lære. Det høres i virkeligheten ut som en slags universalisme.

Så jeg forsøkte å forstå det og Herren begynte å gi meg litt innsikt i hva det betyr.

Når vi vurderer disse spørsmålene, er det viktig å forstå en ting: Da Gud skapte Adam og Eva i Edens hage, hadde han som plan for dem at de *ikke ville komme til å synde*. *Teologer har ned gjennom århundrene drøftet spørsmålet om Gud på forhånd visste at de ville ende opp med å synde. Hans plan var at de ikke ville synde.* For at vi skal kunne forstå sannheten om at hvert eneste menneske i verden er Guds barn, må vi forstå betydningen av ordet *forløsning.*

FORLØSNING

Ordet forløsning betyr i virkeligheten "å kjøpe tilbake."

Jeg har på meg en klokke som jeg en fikk som en julegave. Den ble kjøpt til meg. Jeg kan derfor aldri si at denne klokken er blitt gjenløst. Den ble kjøpt, men ikke gjenløst. Da Jesus kjøpte oss med en pris, kjøpte han oss *tilbake,* Han *forløste* oss. Det at jeg kjøpte klokken min, kan aldri beskrives som en "gjenløsning" av en enkelt grunn. Du kan bare gjenløse noe som du tidligere har eid. Forløsningen som Jesus fullbrakte ved sin død på korset, handlet derfor om å kjøpe tilbake det Gud tidligere hadde eid. Jesus kjøpte oss ikke. Han kjøpte oss tilbake.

Derfor handler kristendommen, rett forstått, om en forløsning i den forstand at *før* vi ble syndere, *tilhørte vi i virkeligheten* Gud. Den tilhørigheten hadde ikke sitt opphav i vår egen levetid, men den tok til i våre forfedres, Adams og Evas liv. Da de var her på jorden, var hver og en av oss i dem fordi vi alle kommer fra og ut av dem. Hele menneskeslekten hadde sin plass i Adam og Eva og tilhørte Gud, forut for syndefallet. Hvilken plan hadde Gud for oss? Hans plan var at Adam og Eva aldri skulle synde og at de skulle oppfylle jorden i samsvar med hans påbud. De skulle bli mange og oppfylle jorden og legge den under seg. Dette var befalingen Gud ga dem og som de skulle realisere. Hans plan (og det var en virkelig plan) var at menneskeheten skulle oppfylle jorden uten at Adam og Eva eller noen andre syndet.

DEN OPPRINNELIGE PLANEN

Forestill deg hvordan verden hadde vært dersom Adam og Eva ikke hadde syndet. Kan du forestille deg hvordan livet da hadde vært? Det ville ha vært ganske forskjellig fra hvordan du opplever det. Dersom Adam og Eva aldri hadde syndet, ville de fortsatt ha vært i live i dag! Du kunne ha gått hjem til dem og banket på døren, og Adam ville ha lukket opp og invitert deg inn. De ville ha levd svært lenge, men de ville fortsatt være i sin beste alder. Jeg tror at dersom Adam hadde kommet spaserende inn i et rom i dag, ville alle tilstedeværende straks ha falt ned og tilbedt ham. Vil ville ha trodd at han var Gud, fordi Adam var skapt i Guds bilde.

Dersom synden og døden ikke hadde gjort sin ankomst i verden, ville Adam og Eva ha sett rett inn i Guds ansikt hver eneste dag i tusenvis av år. De ville ikke bare ha hatt en begrenset åpenbaring, men de vill ha skuet inn i Guds ansikt og hatt en fullkommen åpenbaring av alt Guds vesen. Da Moses kom ned igjen fra fjellet, var ansiktet hans så fylt av Guds herlighet at stor frykt kom over folket. Han måtte dekke til ansiktet sitt slik at kunne klare å se på ham etter å ha tilbrakt førti dager på fjellet sammen med Gud. Adam og Eva ville ha vandret med Gud i tusenvis av år. Og enda til ville ethvert menneske som noensinne har levd fortsatt være i live i dag – hvilket vil si dine foreldre, besteforeldre og oldeforeldre og videre bakover i generasjonene! Hvert eneste menneske ville ha vært i live fordi det ikke ville ha vært noe som heter død.

Det er svært vanskelig for oss å forholde oss til døden, fordi det er intet i oss som ble skapt for å forholde seg til den. Det ville også ha vært vanskelig å håndtere enhver form for avvisning og ensomhet og alle slags traumer, fordi vi ikke har fått bygget inn i oss noen ressurser til å håndtere det. Vi ble ikke designet for den verden vi lever i i dag. Vi ble designet for en verden der Adam og Eva aldri hadde syndet.

Tenk på en annen vesentlig forskjell. Ethvert menneske du har kommet i kontakt med gjennom hele ditt liv, ville bare vært kjærlige, aksepterende og gode mot deg. De ville ha vært fylt med en sterk opplevelse av hvor fantastisk og vakker du er, og hvor spennende det er å være sammen med deg. De ville ha feiret de utrolige gavene og ressursene du har tilført verden, bare fordi du er den du er. Hver og en av oss ville ha opplevd å bli ønsket velkommen inn i denne verden fra fødselen av, og det på en så sterk og livsbejaende måte at det ville ha betydd enormt mye for oss.

Vi kan ikke forestille oss hvilken glede vi ville ha vært fylt med om Adam og Eva ikke hadde syndet. Det er vanskelig å forestille seg det, men det er en slik form for liv Gud har skapt oss til å leve. Tenk bare på hvordan det må ha vært for Adam å bli formet som et voksent menneske, fullt utstyrt med sinn, følelser, hjerte og vilje, og helt i stand til å forstå og tenke rett. Intellektet hans ville ha ligget på et langt høyere nivå enn hos noen av oss. Ifølge vitenskapsmenn bruker vi bare ti prosent av vår hjernekapasitet. Adam ville ha fungert med hundre prosent av sin mentale og intellektuelle kapasitet. Han kom inn i verden og mottok og erfarte straks Guds kjærlighet i all sin fylde, uten at det var noe som hindret den i å fylle hele hans vesen.

Adams entré inn i denne verden ville ha vært så mettet med en sterk opplevelse av hvor herlig og vakker han var, fordi han ville ha sett rett inn i Gud, sin Fars øyne så snart han ble bevisst. Da Adam åpnet sine øyne – og øynene er sjelens vindu – og skuet inn i Gud sin Fars ansikt, ville hans sjel ha vært helt fylt med guddommen i Fars skikkelse. Gud *er* kjærlighet, og hans plan var at alle Adams og Evas sønner og døtre skulle bli fylt med den samme kjærlighet og den samme åpenbaring, hver eneste dag av sine liv gjennom hele historien og i all evighet.

Det var denne livsformen vi ble skapt til å leve i. Vi ble designet med sikte på at vår naturlige fødsel skulle ha vært inngangsporten til en fullkommen erfaring av Gud, han som er vår Far. Vår naturlige fødsel skulle ha vist oss veien inn i velsignelsen av å kjenne Gud som vår Far og å få være hans sønner og døtre. Vi ville aldri ha hatt et ord for "trygghet", fordi vi aldri ville ha vært i stand til å føle noe annet enn fullkommen fred og trygghet. Frykt som begrep ville ikke ha eksistert.

Moren og faren din ville ikke ha vært de menneskene som du har opplevd dem som. De ville ha oppdratt deg svært annerledes. Foreldrene deres (dine besteforeldre) ville selv ha vært så fylt av Gud, deres himmelske Fars kjærlighet at den kjærligheten de viste overfor foreldrene dine ville ha vært et fullkommen uttrykk for

Gud selv, langt utover noe du noensinne har opplevd. La meg gjenta det enda en gang. *Vår naturlige fødsel ville ha vært inngangsporten til velsignelsen av å kjenne Gud som vår Far,* og å kjenne hans nærvær, hans forsørgelse, hans kjærlighet, hans omsorg og hans ledelse inn i enhver velsignelse han har i sitt hjerte for oss.

DEN ANDRE FØDSEL

Men som vi alle vet alt for godt, så syndet faktisk Adam og Eva. Og fordi Adam og Eva syndet, måtte Gud sørge for at vi kan bli *født for andre gang,* for å føre oss alle inn i kunnskapen om hans kjærlighet for oss som vår Far, og la oss få erfare at Han er en far for oss. Så da han sendte Jesus for å dø for oss, åpnet Far en dør, og Jesus ble den døren. Jesus åpnet ikke døren. Han *er* døren.

Gud vår Far åpnet døren for oss slik at vi kan komme tilbake til ham. Slik at vi kan bli kjøpt tilbake og på nytt få adgang til alt som Adam og Eva mistet. *Det er hva det vil si å bli forløst!* Guds hensikt med å sende sin Sønn til jorden for oss, var å forløse alt som var gått tapt når Adam og Eva syndet. Han forløste i virkeligheten *mer* enn det som var gått tapt. Og det er fordi vi i stedet for bare å være Guds sønner og døtre slik Adam og Eva var det, (i Kristus) også har fått del i Guds liv. For en vidunderlig sannhet! Når vi blir født på ny, får vi lære ham å kjenne som vår Far på samme måte som Adam og Eva ville ha kjent ham hvis det ikke hadde vært for syndefallet. Når vi får se dette, gir det oss et lite innblikk i hva det virkelig vil si å være en kristen. Det gir oss innsikt i vår bestemmelse og Guds verk i våre liv.

For å kunne tjenestegjøre effektivt inn i andre menneskers liv, er det avgjørende å ha denne fulle forståelsen av forløsningen (gjenløsningen). Guds grunnleggende plan er å gjenopprette ditt og

mitt liv til hva *det ville ha vært om Adam og Eva aldri hadde syndet.*
Det er formålet med korset og forløsningen. Det er formålet med
å bli en kristen. Formålet med alt Gud gjør i våre liv er å føre oss
tilbake til den syndfrie tilstanden Adam og Eva i utgangspunktet
levde i. Det kan være verdt å tenke på hvordan våre liv ville ha vært
og hvilke følelser vi ville ha hatt om oss selv dersom vi var blitt født
inn i den verdenen. Gud vil at vi skal kjenne den kjærligheten han
har for oss fordi kjærligheten legger et fundament dypt inni oss
som gjør sjelen fullkomment trygg.

Når du vet at Gud elsker deg, vil du ikke ha noen problemer med
å tro at Gud vil sørge for deg på alle måter. Ofte kan du streve med
å tro at han vil sørge for dine materielle behov. Du kan stå på Guds
løfter, du kan ha tillit til Gud og tro på ham så mye du måtte ønske.
Du kan komme med positive bekjennelser og si til deg selv gang
på gang at du duger for å få denne sannheten inn i deg. Dersom
du i ditt hjerte ikke virkelig tror at Gud din Far elsker deg, vil du
likevel ha store vanskeligheter med å holde fast på sannheten om
at han har omsorg for deg. Kjærligheten er troens grunnlag; ja,
kjærligheten er grunnlaget for *alt* i kristenlivet. Det alt dreier seg
om, er å erfare og vandre i Gud vår Fars kjærlighet.

Mange mennesker framholder at veien til et fromt liv handler om
å tilegne seg dette ved på nytt og på nytt og lese opp sanne utsagn
til seg selv. Du vil aldri bli overbevist på den måten. Men når hans
kjærlighet får fylle din ånd og du *vet* at han elsker deg, blir Bibelen
en helt ny bok. Før verdens grunnvoll ble lagt, utvalgte han oss.
Vi valgte ikke ham, men han valgte ut et utrolig liv for oss, et liv
som er evig og allerede har startet *her og nå! Dette er evigheten* for
oss, akkurat nå! Formålet, planen, ledelsen Gud har for våre liv er å
forløse oss, slik at våre liv blir alt han planla at det skulle være, *før*
syndefallet. "Det tapte paradis" er blitt gjenvunnet i Kristus!

HAN UNNFANGET DEG

Profeten Jeremia skriver,

"Herrens ord kom til meg: Før jeg formet deg i mors liv, kjente jeg deg, før du ble født, helliget jeg deg; til profet for folkeslagene satte jeg deg" (Jer 1,4-5).

Ut fra dette kan vi ikke gå ut fra at vi alle er blitt utpekt til å bli profeter for folkeslagene. I generell forstand er det sant, og det kan også være helt konkret sant for noen, slik det var for Jeremia. Men fordi det første delen av verset taler om hvordan Jeremia ble skapt, tror jeg likevel at den er relevant for enhver av oss. *"Før jeg formet deg i mors liv, kjente jeg deg."* Jeg hadde virkelig problemer med å forstå dette. Hva mente egentlig Herren med dette? *Hvordan* kunne han kjenne Jeremia før han befant seg i sin mors mage? Dersom du ser på dette ut fra et rent biologisk synspunkt, eksisterte Jeremia faktisk ikke før han ble unnfanget i sin mors mage. Dette handler heller ikke om reinkarnasjon. Reinkarnasjon inngår ikke i den bibelske forståelse av menneskelivet. Så hvordan kunne Herren kjenne Jeremia før han befant seg i sin mors mage? Men tvil ikke på det! Han *kjente virkelig* Jeremia.

Dette skriftstedet kan bare forstås på en måte. For lang tid tilbake, før Jeremia befant seg i sin mors mage, unnfanget Gud i sitt sinn den personen Jeremia skulle bli. Han formet hele hans personlighet, hans fysiske skikkelse, hans mentale evner, hans emosjonelle og åndelige natur, gavene og talentene han kom til å ha. Lenge før Jeremia var i sin mors mage, kunne Gud si, "Jeg vet nøyaktig hvem denne personen kommer til å bli."

Kjære leser, jeg tror det samme gjelder for hver og en av oss. For

120

lang tid tilbake unnfanget Gud *deg* i sitt hjerte og sinn. Han gjorde deg til den unike personen du er, med de naturlige egenskapene du har. Moren og faren visste høyst sannsynlig ikke om du kom til å bli gutt eller jente, men *Gud* kjente deg ned til hver minste detalj. Han visste hvor høy du ville bli, hvor mye du ville veie (med et visst slingringsmonn), han visste hvilken hårfarge du ville få. Han kjente din personlighet og hvilke evner du ville få. Han ga hver og en av oss visse egenskaper og evner som andre ikke har. Når det gjelder visse andre egenskaper og evner, satte han begrensninger for oss. Han *designet nøyaktig den person du skulle* bli. Han kjente deg. Du må forstå at han er din *virkelige* Far, fordi *Han* unnfanget deg i sitt sinn og sitt hjerte før du ble unnfanget i fysisk forstand.

Og enda mer fantastisk er det at Han unnfanget hver og en av oss i kjærlighet, fordi Han *er* kjærlighet. Da Han bestemte seg for å skape deg, tenkte Han med andre ord i sitt sinn, "Hvordan kan jeg forme dette ene mennesket slik at det blir absolutt elskelig?" *Han designet hver og en av oss i absolutt kjærlighet.* Noen mennesker går rundt og føler seg mislykkede, at de ikke burde være her på jorden. For meg er dette en høyst personlig problemstilling. Moren min pleide å si til meg, "Da jeg og faren din giftet oss, hadde vi et sterkt ønske om å få en liten gutt først. Så da broren din gjorde sin entré, var vi veldig fornøyde. Etterpå tenkte vi at det ville ha vært flott om vi kunne få en liten pike, og så ble søsteren din født. Vi var svært fornøyd, og bestemte oss for at vi ikke skulle ha flere barn." Hun fortsatte, "Så oppdaget vi at du var på vei." Deretter tok hun en pause og sa, "Men da *du* kom, brakte du med deg din egen kjærlighet." Med andre ord, "I ni måneder ønsket vi deg egentlig ikke!"

Mange mennesker har hatt lignende erfaringer og de går rundt med en konstant følelse av at de egentlig ikke burde ha vært født. Det kan tenkes at foreldrene deres *måtte* gifte seg på grunn av en uønsket graviditet, og at de hele tiden senere følte det som om barnet var et problem. Men den vidunderlige sannhet er at Gud vår Far unnfanget hver og en av oss i sin kjærlighet lenge før vi var i vår mors mage. Du er blitt unnfanget i kjærlighet av din VIRKELIGE FAR.

Det finnes ikke noe som heter "uekte" eller uønskede barn. Det finnes bare "uekte" foreldre, fordi hvert eneste barn som blir født inn i denne verden, er elsket og ønsket av Gud vår Far. Og derfor kunne Han, slik det er gjengitt i Apostlenes gjerninger, ved Ånden gjennom Paulus si at vi *alle* er Guds slekt. Det var han i stand til å si fordi Han i sin opprinnelige plan for menneskeheten designet hver og en av oss.

Jeg har ofte stilt meg følgende spørsmål: "På hvilket tidspunkt designet Han meg egentlig? Var det bare fem minutter før jeg ble unnfanget?" Ble han så og si tatt på sengen og sa, "Å nei! Her kommer det enda et barn! Raskt! Lag en annen! Hvor lenge er det siden han egentlig designet? Var det bare noen minutter før jeg ble født? Var det mange år tidligere? Jeg tror faktisk at Han designet hver og en av oss før han i det hele tatt skapte et eneste atom i universet. *Han ønsket ikke å få seg et univers. Han ønsket å få seg en familie.* Planen hans var ikke å skape en vidunderlig verden. Skaperverket var i Guds plan ment å være et miljø der vi kunne leve våre liv. Vi ser opp på stjernene og forestiller oss at stjernevrimmelen forsvinner i det uendelige. Vet du hvorfor han skapte universet slik? Ikke for at vi skulle la oss overvelde av eller bli fortvilet over vår plass i dette universet, men for at vi skulle beundre det og si "wow"! For at alt i oss kunne bli fylt av undring over Hans storhet. Han skapte universet for å gi oss et inntrykk av hvilken stor Far vi har! Å, hvilken stor og herlig Far han er!

SKAPT I HANS BILDE

Mange mennesker går gjennom livet med en følelse av at de ikke hører hjemme noen steder eller at de ikke burde ha vært født. Noen mennesker føler det nesten som om de ikke har noen rettmessig plass eller tilhørighet i sitt eget hjem. De bruker hele livet på å arbeide og tjene penger for å kunne nedbetale lånet, slik at de kan eie sitt eget hjem, og når de så til slutt får 100 prosent eierskap til huset eller leiligheten sin, føler de det fortsatt som om de ikke hører hjemme i denne verden. Den enkle sannhet er at vi er vår himmelske Fars barn.

For lang, lang tid siden bestemte Gud din Far at han ville ha deg, og *den dagen da du kom inn i denne verden, var en dag han hadde sett frem til i tusenvis av år.* Det eneste skår i gleden for ham var at han visste at du, da ble født, på grunn av syndefallet ikke ville få tilgang til alle de velsignelser han hadde planlagt for deg som din Far. Han elsker deg fortsatt som din Far, men dersom vi ikke blir født på ny, vil vi ikke få del i alle de goder som følger av at han faktisk *er* vår Far. Han sendte Jesus for å dø i vårt sted, slik at vi kan bli født på ny og gjennom vår *andre fødsel* kan få nyte godt av alle de velsignelser som følger av at han er vår Far.

I Salme 139,16 leser vi,

"Dine øyne så meg da jeg var et foster..."

For lang, lang tid siden, før du ble formet i din mors liv, så Gud det. Før verden ble skapt, visste han hvilket utseende du ville få. Du er ikke et resultat av en lang evolusjonsprosess eller et slags lunefullt innfall av naturen uten noe mål eller mening i livet. Foreldrene dine visste ikke om du ville bli en gutt eller en pike eller hadde i hvert fall ingen innflytelse på hvordan du ville bli skapt. Men for lang, lang tid siden visste Gud hvordan du ville bli seende ut, fordi han bestemte dine tider og de eksakte steder der du ville komme til å bo.

Jeg er selvsagt klar over at mennesker blir født med fysiske funksjonshemminger; de kan være blinde, døve eller det som verre er. Men på en eller annen måte har dette fått lov til å skje fordi menneskeheten har åpnet sine dører for synden og gjort seg mottakelige for Satans destruktive krefter. Noe av dette skyldes også menneskelig svikt innen medisinen, og kanskje vil vi i fremtiden finne mer ut av årsaks- og virkningssammenhenger vi som mennesker må ta ansvar for selv.

Sannheten er likevel at Gud, lenge før du befant deg i din mors mage, visste hvordan du ville komme til å se ut, og *han* sier i sitt Ord at vi er skapt på skremmende, underfull vis.

Datteren vår var i ti år en internasjonal toppmodell. Jeg syntes alltid at hun var vakker, selv når hun stod først opp om morgenen. Jeg husker at jeg en gang spurte henne, "Disse supermodellene, synes de egentlig selv at de er vakre?" Hun svarte, "Nei, ingen av dem." Hver eneste en av dem vil nok si at det er sider ved dem selv de ikke er fornøyd med. Knærne er kanskje for knudrete, nesa er for stor eller øynene for smale. Dette viser bare at vi bærer på en medfødt opplevelse av at noe av Guds utrolige skaperverk er blitt frastjålet oss.

Han som er skjønnheten selv, innbegrepet av alt som er vakkert, kan ikke skape noe stygt. En kunstners hjerte kommer til uttrykk i maleriene hans og det finnes ikke noen som er skjønnere enn Gud selv. Da han formet deg og meg, var det følgelig som et uttrykk for sin egen natur. Han skapte oss vakre. Mange mennesker går gjennom hele livet med en følelse av at de aldri holder mål, at de aldri er i stand til å stille opp i møte med andre. De bærer på en dyp skamfølelse, og trekker seg alltid tilbake. De dekker seg selv og bygger opp murer omkring seg, fordi de ikke føler seg akseptert når det gjelder sitt utseende, sine interesser og sin livsstil. Gud har skapt hver og en av oss og han har tenkt ut hvert eneste aspekt ved oss.

Mange mennesker føler at Gud skapte mannen i sitt bilde og at kvinnen bare ble kastet inn på banen for å hjelpe mannen, for å si det slik. Hun ble skapt for å trelle for mannen og å arbeide ved hans side. Det de som hevder dette likevel ikke innser, er at *også* kvinnen ble skapt i Guds bilde. De innser ikke at det feminine og kvinnelige (så vel som det maskuline) er et uttrykk for Guds natur. Også det feminine er et uttrykk for Guds karakter. Jeg kjenner en kvinne som ikke hadde et eneste speil i huset sitt fordi hun var overbevist om hun var stygg å se på og at speilet bare bekreftet den oppfatningen hun hadde av seg selv. Faktum er at Gud aldri har skapt noe stygt, og dersom andre mennesker ikke er i stand til å se hvor vakker du er, viser det bare hvor forskjellig Gud er fra oss mennesker. Han synes nemlig at jeg er vakker, og han synes at også du er det!

Hele kulturen vi lever i, med Hollywood-filmer og dyrkelsen av idoler, har presentert oss for et skjønnhetsideal og en oppfatning av hva som er et "godt utseende" som vi ikke har mulighet til å oppfylle. Det fratar oss tilliten til hvordan vi selv ser ut og fremtrer. Det heter i et ordtak, "Dersom låven har behov for å bli malt, er det bare å male den." Jeg er ikke mot litt sminke. Når jeg er blitt intervjuet på TV, har jeg fått høre at jeg må bli sminket opp på forhånd. Første gangen det skjedde, kunne jeg ikke tro det! Det var litt av en jobb å få fjernet det etterpå! Den enkle sannhet er at Gud har skapt deg vakker, og dersom folk ikke kan se det, er det ikke ditt problem; det er deres problem.

Gud er den som kjenne meg best, og han er den som elsker meg mest. Han kjenner alle mine feil og mangler og likevel elsker han meg. Vi kan ikke si, "Jeg elsker ikke den personen fordi han eller hun har så mange feil og mangler." Når vi ikke klarer å elske noen eller ikke er i stand til å uttrykke kjærlighet overfor andre mennesker, så understreker det bare forskjellen mellom oss og Gud. Gud vår Far unnfanget hver og en av oss i sitt sinn og i sin kjærlighet, og han skapte oss fullstendig elskelige. *Han er vår virkelige Far.* Han er og har *alltid vært din virkelige* Far.

Du har bare vært til låns hos dine foreldre. De visste ingen ting om deg, men det gjorde Gud din Far. Han unnfanget de unike kjennetegnene ved hvert enkelt menneske. Han designet alt i oss. Han er vår virkelige Far og, dersom vi tar imot Jesus og vandrer i hans liv, vil vi kjenne vår himmelske Far for resten av evigheten.

GJENOPPRETTET FOR Å VÆRE SØNNER OG DØTRE

Når vi snakker om at Gud er vår Far, eller om å ta imot Fars kjærlighet, snakker vi ikke bare om at Gud er kommet inn i våre liv og at han har latt oss få oppleve en berøring av sin kjærlighet, en kjærlighet som leger våre emosjonelle sår. Disse tingene skjer virkelig, men det alt i siste instans handler om, er at Gud gjenoppretter oss slik at vi blir hans sønner og døtre. Han forløser oss slik at vi får komme dit at vi kjenner ham som vår Far, på samme måte som Adam kjente ham, og enda mer enn det, på samme måte som Jesus kjente ham.

Det er Gud vår Fars hensikt at vi skal få komme til ham og vandre med ham i all evighet som sønner i samsvar med hvem han er. Det er dit han tar oss. Ingen ting begeistrer meg mer enn denne sannheten, at jeg kan vite at Gud er min Far. Å kunne vite for sikkert at alt jeg er ble designet av min himmelske Far, og at jeg er hans sønn. Fra evighet og for all evighet er jeg hans sønn. Selvsagt er jeg ikke Jesus, men den herlige sannheten er at "i Kristus" er han blitt *min* Far og jeg er hans sønn nå og for all fremtid. Han har alltid hatt til hensikt at det skal være slik. Han måtte gjenløse meg på grunn av det som skjedde i hagen, men jeg har alltid vært hans sønn, og vil alltid forbli det.

Gud din Far har i tusenvis av år ventet på øyeblikket da du skulle fødes inn i denne verden. Da du ble født, feiret han det fordi han kjente deg lenge før du kom inn i din mors mage. Han har ventet på den dagen da du i din ånd omsider skulle få ta imot åpenbaringen om at han er din *virkelige* Far. På samme måte som alle kjærlige foreldre ser fram til dagen når barnet deres sier, "Pappa!" for første gang, har Gud din Far i tusenvis av år ventet på øyeblikket når du ser opp mot ham og fra dypet av ditt hjerte roper ut "Pappa!"

KAPITTEL 6

Den farløse ånd

~

Det var på en konferanse i Toronto i 2002 at jeg for første gang hørte uttrykket "den farløse ånd." Jeg hørte Herren si det til meg femten minutter før jeg etter planen skulle tale. Jeg åpnet raskt min Bibel og da var det at et vers jeg hadde lest mange ganger, bare slo imot meg og at alt ble annerledes. Jeg gikk opp på podiet og hele budskapet mitt ble til mens jeg talte. Jeg visste ikke hvilket budskap jeg skulle bære fram, men jeg fikk plutselig et helt nytt lys over sannheten i dette verset, og det er kommet til å stå helt sentralt i hele den åpenbaring av Far som vi forkynner. Du kan i virkeligheten si at det er blitt kjernebudskapet i tjenesten vår, selve paradigmet som ligger til grunn for all vår undervisning.

Verset som slo imot meg, var fra det fjortende kapittel i Johannes-evangeliet der Jesus taler om de siste tider, omkring en uke før han ble korsfestet. Jack Winter sa en gang at en manns siste ord høyst sannsynlig må antas å være de viktigste ord han noensinne kommer til å si. Da jeg leste dette spesielle verset i Toronto den dagen, følte jeg det som tyngdekraften ble forandret og at jorden rystet. Etter den dagen har kristenlivet mitt aldri mer vært det samme. Jeg har fått mange åpenbaringer – men denne har i avgjørende grad endret perspektivet jeg lever mitt liv ut ifra. Med min bakgrunn i pinsekarismatisk teologi, fikk jeg med ett et nytt perspektiv på Gud vår Far som jeg aldri tidligere hadde sett.

ET MERKELIG LITE VERS

Før jeg forteller deg hvilket vers det dreier seg om, vil jeg gi deg litt bakgrunnsinformasjon. Johannes-evangeliet var den første boken i Bibelen jeg leste. Jeg hadde følgelig lest dette verset mange ganger tidligere, og likevel ikke sett hva det betyr. Jeg syntes faktisk det var et merkelig lite vers, et vers jeg egentlig ikke forsto. Det inneholdt et ord som ikke er brukt noen andre steder i Johannes-evangeliet, og det er bare brukt ett annet sted i hele Det nye testamente. Men på dette møtet i Toronto bare spratt det opp mot meg fra siden der det stod, og forandret alt. Gud åpnet min forståelse for noe jeg ikke hadde sett før.

La meg fortelle deg litt om hvorfor det gjorde så sterkt inntrykk på meg. Da jeg gikk på bibelskolen, ga en av lærerne oss et nøkkelord for hvert av kapitlene i Johannes-evangeliet. Når du lærte deg det verset utenat, kunne det hjelpe deg til å huske hva hele kapitlet handlet om. Det var ett spesielt vers som var nøkkelen til å forstå hele Johannes-evangeliet. Det verset (Joh 20,31) sier, *"Men disse (tegn) er skrevet ned for at dere skal tro at Jesus er Messias, Guds Sønn, og for at dere ved troen skal ha liv i hans navn."* Jeg syntes dette var klinkende klart, men da Herren åpnet øynene mine for det spesielle verset i Johannes 14, så jeg at det verset kunne være nøkkelen til *hele Det nye testamente, ja kanskje til og med til hele*

Bibelen. Det er utrolig når et "merkelig lite vers" plutselig får så utrolig stor betydning.

Det verset som forandret alt for meg, var Joh 14,18. Det er et enkelt, lite vers, men det er så innholdsmettet. Jesus sa det og Johannes skrev det ned:

"Jeg lar dere ikke bli igjen som foreldreløse barn. Jeg kommer til dere."

Da denne sannheten langsomt demret for meg, følte jeg for første gang i mitt liv at jeg begynte å forstå menneskehetens grunnleggende problem. Ikke bare når det gjelder det vi kjemper med hver for oss, men også det vi kjemper med i våre mellommenneskelige relasjoner. Ja, det grunnleggende problem i menighetslivet, i læremessige stridigheter mellom ulike kirkesamfunn, i familiekrangler og til og med i kriger mellom nasjoner. Jeg så med ett for meg problemet som ligger til grunn for menneskehetens strid på jorden gjennom hele historien. Det var et fullstendig paradigmeskifte.

En gang var det noen som sa til meg, "James, det virker som om du mener at Fars kjærlighet er svaret på ethvert problem menneskeheten strever med." Ja, det tror jeg av hele mitt hjerte, fordi ethvert problem i bunn og grunn har sitt utspring i den kjensgjerning at Adam og Eva mistet sin plass i Edens hage, de mistet erfaringen av å være elsket av sin himmelske Far! Da det skjedde, fjernet menneskeslekten seg fra Gud, fra hans altomfattende omsorg og fra det intime fellesskapet det hadde hatt med ham.

Så spørsmålet er hva Jesus egentlig mente da han sa disse ordene, "Jeg lar dere ikke bli igjen som foreldreløse barn. Jeg kommer til dere."

Vi er alle foreldreløse

Først av alt må jeg si at disse ordene ikke sprang ut av Jesu eget hjerte eller sinn. Han sa dem, men de stammet ikke fra *hans* tenkesett eller teologi. De kom fra hans Far. Jesus sa, *"For jeg har ikke talt ut fra meg selv, men Far som har sendt meg, har gitt meg beskjed om hva jeg skal si og tale ... Det jeg sier, det sier jeg slik Far har sagt meg det"* (Joh 12,49-50). Disse ordene kom fra Fars hjerte.

Du forstår selvsagt at da Jesus sa ordene, *"Jeg lar dere ikke bli igjen som foreldreløse barn,"* så sa han dem ikke i et hjem for foreldreløse barn! Flertallet av dem som hørte på ham, var høyst sannsynlig ikke foreldreløse i menneskelig forstand. Vi vet helt klart at Peter og Andreas var der. De hadde vært av gårde og fisket sammen med faren sin da Jesus kalte dem, så de visste at de hadde en far. Jakob og Johannes hadde også en far. De var sønner av Sebedeus (og gikk også under navnet Tordensønnene). Vi vet at moren deres var i live fordi hun kom til Jesus og spurte ham om sønnene hennes kunne få sitte ved hans side i det kommende riket. Hun var en av Jesu etterfølgere, hun trodde at han var Messias, og hun elsket åpenbart sønnene sine og ønsket det beste for dem. Så de var helt klart ikke foreldreløse.

Bare en liten prosentdel av Jesu tilhørere den dagen kan muligens ha vært foreldreløse, og likevel lød Fars ord til dem alle slik, "Jeg lar dere ikke bli igjen som foreldreløse barn. Jeg kommer til dere." Dette er Guds ord til oss ned gjennom alle tidsaldre og det gjelder for alle tider.

Vår konklusjon er følgelig at vår himmelske *Far ser på hele menneskeslekten som foreldreløse barn. Han ser på oss alle som foreldreløse.*

DEN OPPRINNELIGE FARLØSE ÅND

Hvorfor ser Gud på hele menneskeslekten som foreldreløse barn? For å forstå denne måten å oppfatte verden på, at hele verden kjennetegnes av en tilstand av foreldreløshet, må vi ta et skritt tilbake og se på hvordan det hele startet. La oss se på hvordan profeten Jesaja i kapittel 14 i Jesaja-boken så å si trekker forhenget til side og gir oss et glimt inn noe som hendte før menneskeheten ble skapt. Det handler om en profeti som Jesaja rettet mot kongen av Babylon, og den hadde relevans for tiden og situasjonen da den ble fremsatt. Men mange profetier kan forstås på flere måter og de kan ofte bli tolket på flere nivåer.

Fra og med vers 12 er det tydelig at det også finnes en annen tolkning som går mye lenger bakover i tid enn perioden da Jesaja og kongen av Babylon levde. Noen bibeloversettelser setter faktisk *Lucifers fall* som overskrift over dette avsnittet. Mange bibelforskere tror at dette avsnittet handler om Satans opprinnelse.

Avsnittet begynner slik, "Du har falt fra himmelen, du morgenstjerne, morgenrødens sønn! Du er slengt til jorden, du som seiret over folkeslag. Det var du som sa i ditt hjerte..." Og så følger fem utsagn som alle begynner med ordene "Jeg vil." Vi ser altså at Lucifers fall begynte med at han i sitt hjerte tok en bestemmelse, "Jeg vil gjøre følgende ting."

"Til himlene vil jeg stige opp, høyt over Guds stjerner vil jeg reise min trone. Jeg vil sitte på forsamlingens berg, på sidene lengst mot nord. Jeg vil stige opp over skyenes tinder, jeg vil bli lik Den Høyeste." (Jes 14,13, Bibelen – Guds Ord)

Jeg er ikke helt sikker på hva dette betyr, men jeg forstår i det minste hva det betyr når det står, *"Jeg vil."* Han sa, *"Til himlene vil jeg stige opp,"* og til slutt uttrykte han følgende ambisjon, *"Jeg vil bli lik Den Høyeste."* Ambisjonen som vokste fram i Lucifers hjerte var å erstatte Den allmektige Gud, å overta hans plass, og i siste instans å bli lik ham. Han sa ikke, "Jeg skal stå ved Guds side," men tvert imot, *"Jeg vil bli lik ham."* Satans ambisjon var ikke bare å bli lik Gud, men å *erstatte* ham! Om det kom til å skje, ville Satan selv bli den høyeste autoritet i hele universet.

Jeg tror at denne ambisjonen bare vokste og vokste i Lucifers hjerte helt til han kom til et punkt der han faktisk trodde at han hadde seiret da Livets prins ble korsfestet. Han forsto ikke – for å bruke C. S. Lewis' ord – at det pågikk en "dypere magi" som ville resultere i Lucifers fall og endelige nederlag.

Hovedpoenget som jeg ønsker å få fram her, og som alt annet beror på, er dette: Da Lucifer ruget ut sin ambisjon om å erstatte Den høyeste, sa han i virkeligheten følgende: "Jeg vil ikke ha noen far som står over meg!" Gud er "far" i kraft av selve sin natur, og himmelen hadde alltid vært fylt av denne kjensgjerning. Det Lucifer i praksis sa, var derfor, "Jeg ønsker ikke å ha en far som står over meg, *Jeg* vil være den faren. Ingen skal stå over meg. Jeg er ingen sønn. Jeg er ikke underlagt noen som helst."

Det finnes en tilsvarende tekst hos profeten Esekiel 28,12-19. Her profeterer Esekiel over kongen av Tyros, og også her ser vi at teksten har en betydning som rekker mye lenger enn til den samtid ordene ble talt ut i. Her får vi et innblikk i opprinnelsen til enhver form for foreldreløshet. Også her handler det om Lucifer, og teksten lyder slik,

"Du var et bilde på det fullendte, fylt av visdom, fullkommen i skjønnhet. I Eden, Guds hage, holdt du til. Du var dekket av alle slags dyre steiner."

Når vi leser dette, ser vi at Satan ikke i utgangspunkt ble skapt som en ond skapning. Han var kjent som "Den lysende." Han var full av visdom og fullkommen i skjønnhet; *"Du var i Eden, Guds hage. Du var dekket av alle slags dyre steiner."* Han var kjennetegnet av en utrolig skjønnhet, den vakreste av alle levende vesener. Han var også fylt med visdom, men fordi han elsket sin egen skjønnhet så høyt, ble visdommen hans ødelagt. Fra begynnelsen av hadde han sin plass nær ved Guds trone.

"Du var en salvet kjerub, et vern. Jeg innsatte deg, du holdt til på Guds hellige fjell, blant glødende steiner vandret du. Du var hel i din ferd fra den dagen du ble skapt, til det ble funnet urett i deg." (Esek 28,14-15)

Uretten var ambisjonen han hadde i sitt hjerte om å erstatte Gud og kvitte seg med ham. Det var ambisjonen om å fjerne Gud fra livet sitt slik at han kunne gjøre det han ønsket å gjøre og ha full autoritet i sitt eget liv. Det er også i dag grunnlaget for all synd.

Vers 16 sier, *"Din store handel fylte deg med vold, og du tok til å synde."* Og så følger disse ordene, *"Da støtte jeg deg bort fra gudefjellet og gjorde ende på deg."* Vers 17 sier, *"Ditt hjerte ble hovmodig fordi du var vakker."* Legg merke til at hans skjønnhet faktisk ikke ble fjernet. *"For din skjønnhets skyld gjorde du din visdom fordervet. Jeg kastet deg til jorden"* (Bibelen – Guds Ord).

Andre bibeloversettelser bruker her uttrykket, "Jeg utviste deg." Jesus selv sier at han så Satan falle ned fra himmelen som et lyn.

Det måtte ha vært temmelig dramatisk! Han ble kastet til jorden, bort fra Guds nærvær, ned fra Guds fjell, ut av himmelen og ned på jorden, og han tok sine engler med seg.

KASTET BORT FRA FARS KJÆRLIGHET

Jeg vet ikke hvordan det ser ut i himmelen. Alt jeg vet, er det Bibelen forteller meg, og Bibelen sier at i himmelen er det ikke behov for noen sol eller måne fordi Gud selv er lyset. Gud fyller himlene. Og fordi Gud er kjærlighet, er de fylt med kjærlighet.

Forsøk bare å se det for deg. Vi kommer til å leve i en atmosfære der hvert åndedrett vil være som å puste inn flytende kjærlighet. Vi vil hele tiden leve i en atmosfære preget av fullkommen kjærlighet. Fordi vi hvert eneste sekund puster inn fullkommen kjærlighet, en kjærlighet som gjennomtrenger alt og alle, vil vi aldri kunne bli forkastet.

Og himmelen er ikke bare fylt med kjærlighet, den er fylt med en helt spesifikk og særegen kjærlighet. Den er fylt med farskjærlighet fordi Gud er Far. Fra ham og i ham har alt som rører seg og er til sin opprinnelse. Vi kan ikke initiere noe som helst. Han tok initiativet til å frelse oss og for vår del ga vi bare respons på hans invitasjon. Han tok initiativet til skapelsen og vi fikk tilgang til alt han har gitt oss. Av natur og ut i fra sitt innerste vesen er Gud Far. Det er ikke noe han en gang ble. Hans kjærlighet er først og fremst, frem for alt og i dypeste forstand, en fars kjærlighet.

Etter å ha forkastet Gud som Far ble Satan kastet ut fra himmelen og fra sin relasjon med Gud som Far. Han ønsket å være farløs. Ut i fra sin innerste natur er han *farløs*. Han er farløs og ønsker å være farløs. Der er derfor det ikke finnes noen mulighet til forløsning for ham. Han eide en fullkommen åpenbaring av hvem Gud er og valgte å forkaste ham. Og etter å ha bli kastet ned til jorden, ble han selve innbegrepet på den *farløse ånd.*

Apostelen Paulus forsto hva det er jeg her snakker om. I Ef 2,2-3 skriver han, *"Dere levde i dem* (misgjerningene og syndene) *på den nåværende verdens vis og lot dere lede av herskeren i himmelrommet, den ånd som nå er virksom i vantroens barn. Ja, vi levde alle en gang som dem. Vi fulgte lystene i vårt eget kjøtt og blod og lot oss lede av det og av våre egne tanker. Vi var av naturen vredens barn, vi som de andre."*

Før du ble en kristen virket det en ånd i ditt indre som ledet deg inn i denne verdens system. I denne verdens system syndet du, du levde atskilt fra Guds plan og trengte til å bli gjort levende. Herskeren i himmelrommet ledet deg på ulydighetens vei og preget deg med sin farløse ånd.

VERDEN ER ET ENESTE STORT HJEM FOR FORELDRELØSE

Når vi forstår at Satan er en farløs ånd, ser vi at også denne verden i virkeligheten er gjennomsyret av farløshet. Satan har forført hele verden. Han har ført oss inn på en vei der det er *hans* verdisystem som gjelder, slik at hele verdensordningen preges av hans farløse ånd. Når vi definerer synd som det "å bomme på målet," handler det faktisk om ikke å nå fram til vår himmelske Far og å leve som farløse i denne verden.

Se for deg hvordan det er å leve som en farløs i et hjem for foreldreløse, og hvordan det er å leve som en sønn i et godt hjem med kjærlige foreldre. Forskjellen mellom disse to tilværelsene er enorm.

La meg få skissere noe av det som kjennetegner en farløs tilværelse, hva det innebærer å være farløs. En som er farløs, har ikke noe navn. Ofte blir navnet en farløs i utgangspunktet har, forandret eller de blir forlatt, slik at ingen kjenner den farløses identitet. Som farløs har du ingen familiehistorie, ingen opplevelse av hvor du kommer fra. Navnet ditt betyr ingen ting for deg. Når du vokser opp i en god familie, er navnet du bærer det samme som din fars navn, og før ham hans far, og videre bakover i generasjonene. Du deler navnet ditt med dine brødre og søstre og familienavnet gir dere alle en felles identitet. I verden ser vi at mange mennesker forsøker å skape seg sitt eget navn, de forsøker å bli betydningsfulle og å oppnå en posisjon i samfunnet. Farløshet har ikke bare med forholdet til denne verden å gjøre. Det er en grunnleggende tilstand i menneskets hjerte.

Selv i kirken ser vi at farløsheten gjør seg gjeldende. Vi ser at mennesker som tjenestegjør i menighetene, forsøker å skape seg et navn, å gjøre en "betydningsfull jobb", å bli involvert i en "betydningsfull tjeneste." Jeg minnes at jeg selv hadde en slik ambisjon. Motivasjonen bak dette er at dersom jeg gjør noe betydningsfullt, betyr det at *jeg* er betydningsfull. Et slagord i denne verden lyder slik, "Begynn å gjøre noe betydningsfull dersom du ønsker å føle deg betydningsfull." Det er en karakteristisk side ved det å være farløs. En sønn eller en datter finner sin betydning i relasjon til sin familie, ved å være elsket og satt pris på kun for hvem de er.

Noe annet som særpreger de farløse, er at ingen gir dem noen gaver. De får ingen jule- eller fødselsdagsgaver. Dersom de får en presang, er det som regel gaver som er blitt gitt til barnehjemmet og som deretter blir fordelt tilfeldig. Om du som farløs får noe som du virkelig ønsker deg, er det som regel bare flaks. En liten gutt ønsker seg kanskje en seilbåt, men får en lastebil. Bare tilfeldige gaver

uten noen virkelig eller personlig betydning. Fødselsdager og jule-
høytider betyr ingen ting for den farløse. Konklusjonen de trekker
av dette, er at man ikke får noe gratis. Det er det som særpreger
verden. Du er overlatt til deg selv, ingen kommer til å gi deg noe,
det finnes ingen "gratis lunsj" og derfor har du ikke noe annet å
gjøre enn å kjempe for tilværelsen.

For den farløse finnes det ingen ting å arve, så du må kjempe for
det du ønsker å skaffe deg. La ingen forsøke å ta noe fra deg, for du
kan være sikker på at det er det de vil! Slik er livet i et barnehjem.
De store guttene tar maten fra dem som er mindre enn seg. Verden
fungerer på samme måte. Se bare på forretningsverdenen. Det heter
så fint, "Det er bare business, ta det ikke personlig," men for den
personen som taper, er det *høyst* personlig. En farløs person synes
det er vanskelig å være sjenerøs, fordi han føler at ingen vil gi ham
noe tilbake, og dersom han gir noe fra seg, får han aldri noe til
gjengjeld. En sønn, derimot, ser det på en helt annen måte, "Faren
min er meget sjenerøs og veldig rik og han gir gode gaver."

Systemene denne verden styres etter, er farløse systemer. Visste
du for eksempel at demokrati ikke er identisk med Guds rike?
Demokratiet er muligens den beste ordning for farløse til å styre
farløse i en fallen verden, men det er like fullt et farløst system. Det
er ikke slik Gud styrer i sitt rike. Dessverre er det slik at mange
menigheter blir styrt i samsvar med demokratiske prinsipper.
Dersom du har et lederskap i menigheten som har et farløst hjerte,
vil hele menigheten bli preget av farløshet. Det gjennomsyrer alt.

La meg ta et annet eksempel: kapitalismen. Kapitalismen er
muligens det beste økonomiske systemet for forretningsvirksomhet
mellom farløse, men det er ikke et system som bygger på
rettferdighet. Det er basert på farløse verdier når det gjelder å kjøpe

og selge med sikte på profitt – og mest mulig profitt uavhengig av hva som er rettferdig og rimelig. Guds rike er annerledes. Guds rike bygger på prinsippet om å gi bort *alt* du har – og å *motta* alt av Gud. Dersom noen tvinger deg til å gå en mil med seg, skal du gå enda lenger. Dersom noen slår deg på kinnet, skal du vende det andre kinnet til. Dersom noen tar fra deg skjorta, skal du gi ham jakka i tillegg.

Jeg er ikke motstander av å drive med forretninger. Jeg taler ikke imot å skaffe seg profitt. Det er slik verden fungerer og vi må virke innenfor verdens rammer, men vi må også være klar over at det ikke er slik Guds rike fungerer. Guds rike bygger på et annet verdisystem, og så langt vi kan, bør vi virke innenfor gudsrikets rammer og operere i samsvar med Guds prinsipper. Noen menigheter driver hele sitt budsjett på kapitalismens prinsipper, og det binder dem opp! Gud kan virke langt utover hva vi er i stand til å fatte, og dersom vi begrenser vår tenkning til det vi kan få gjort innenfor kapitalismens system, begrenser vi også det Gud kan gjøre. Men når vi tror at Gud vil sørge rikelig for oss innenfor *sitt økonomiske system, beveger vi oss fra farløshetens kår til sønnekår!*

Forskjellen mellom den sekulære verden og kristendommen er forskjellen mellom farløshetens kår og sønnekår.

EN REISE I FANTASIEN

Jeg vil gjerne ta deg med på en reise i fantasien. Jeg vil at du skal forsøke å forestille deg hvordan det må ha vært da Adam ble skapt. Det er bare noen få vers i 1. Moseboks andre kapittel som sier oss noe om det. Der heter det, *"Da formet Gud mennesket av støv fra jorden. Han blåste livspust i nesen på det, og mennesket ble en levende skapning."* Tenk om du var en engel som så på at Gud skapte hele universet. Hvordan ville det ha sett ut?

Jeg har ofte lurt på hvorfor Gud ikke skapte mennesket på den første dagen, slik at mennesket kunne se på at han skapte alt det andre. Det ville ha vært helt fantastisk, ikke sant? Hvorfor ventet Gud til ettermiddagen på den sjette dagen for å skape mennesket? Den eneste grunnen jeg kan tenke meg, er at *han ikke ønsket at mennesket skulle lære ham å kjenne som en arbeidende far.* Dersom mennesket hadde fulgt med på hele skapelsesprosessen, ville det trolig ha gitt ham en trang til å streve og arbeide og prestere. Vi er skapt til å hvile i Gud, og dersom vi ikke inntar hvilens posisjon, vil vår relasjon med Gud bli hemmet. Det er derfor Skriften sier, *"Fall til ro og kjenn at Jeg er Gud"* (Sal 46,10, Bibelen – Guds Ord).

Gud formet mennesket. Han talte og alt ble til ved et bydende ord, men han formet mennesket ved å skrape sammen støv fra jorden. En stakket stund må englene ha gispet av forundring da det begynte å gå opp for dem at Gud laget en kopi av seg selv. Det var en fullkommen skapelse.

Da Gud formet mennesket, fikk menneskets kropp litt etter litt form inntil det var fullkomment formet. En fullkommen formet mannsskikkelse, men fortsatt uten liv. Så pustet Gud inn i mannens nesebor. Du må komme deg svært nær et menneske for å kunne puste inn i dette menneskets nesebor. Hvordan tror du det ville det ha sett ut, om du hadde vært der? *Det ville ha sett ut som om Gud kysset Adam.*

Når en mor holder sitt nyfødte barn i armene, ser hun på det med undring og ærefrykt. Smertene under fødselen er glemt, og ansiktet hennes uttrykker kjærlighet, ømhet og forundring. Jeg tror ikke det finnes en eneste kvinne som ikke føler det på samme måte når hun føder sitt første barn. Hun vet at det har funnet sted et fantastisk mirakel.

Gud vår Far er selve prototypen på en forelder til alle tider. Han er den fremste forelder, og vi er alle bare kopier av ham. Da han pustet livsånde inn i Adams nesebor, fødte han en sønn. Jeg ser for meg at det må ha vært ett av de mest utrolige øyeblikk i verdenshistorien. Hvis du hadde vært øyenvitne til det hele, ville du ha sett Fars kjærlighet og ømhet stråle fram fra hans ansikt.

Men hva ville du ha sett, om du hadde iakttatt Adam? Du ville ha sett brystet hans heve og senke seg i det han trakk sin første pust mens lungene fyltes med luft. Du ville ha sett en bølge av farge spre seg utover hele kroppen mens blodet begynte å pumpe gjennom musklene, kroppsvevet og huden. Alle kroppsfunksjonene ville ha startet opp. Kanskje ville du ha lagt merke til en liten bevegelse i fingrene, tærne og øyelokkene etter hvert som musklene begynte å bli tilført oksygen. Alt ville ha begynt å komme i bevegelse fordi kroppen ble vekket til live. Men ikke bare kroppen, også hjernen ville ha begynt å fungere. Hvordan ville det ha vært for sinnet å fungere, uten å ha noe å tenke på? Og hukommelsen ville ha blitt satt i funksjon, men foreløpig uten å ha noen konkrete minner! Ikke i det hele tatt! Han ville ha fått sin personlighet, men foreløpig uten å ha fått noen impulser utenifra. Som en PC som er slått på, uten noe operativsystem. Den er helt blank.

Så kom stunden da Adam fikk sin første impuls. Hvilket øyeblikk tror du det var? Hva var det som foregikk i ham for at han skulle få denne første impulsen? Jeg tror det må ha vært da han åpnet øynene for første gang. Og hva tror du han så på da han åpnet øynene sine? Kjærlighet uttrykkes gjennom berøring, gjennom stemmen og gjennom øynene. Øynene er sjelens vindu.

Adam var altså i ferd med å åpne øynene. Tror du hans himmelske Far hadde gått av sted for å lese avisen, se på TV eller spille fotball? Absolutt ikke! Han var bare opptatt av å elske sin sønn mens han gjorde ham levende. Gud er ingen deltidsfar. Han er til stede hele tiden. *Vi* kan være opptatt med andre ting, men han har ikke noe annet å være opptatt med. Vi er objektet for all hans oppmerksomhet. Da Adam åpnet øynene sine, befant han seg under et mektig fossefall av kjærlighet fra sin Far. *Han mottok all den kjærlighet som finnes i hele universet.* Hvilken fantastisk tanke! Jeg kan ikke forestille meg hvordan det må ha vært for ham, at det første han noensinne fikk oppleve, var å bli elsket fullt og helt av Den allmektige Gud. Adam visste at Gud elsket ham med en fullkommen kjærlighet.

Jeg forestilte meg at jeg var den første som hadde gjort meg slike tanker, men en dag forsto jeg at også apostelen Paulus hadde sett det. Da ett av versene hos Paulus plutselig gikk opp for meg i sin fulle betydning, tenkte jeg, "Paulus, din gamle luring! Du var også klar over dette!" Hør bare hva han sier,

"Derfor bøyer jeg mine knær for Far, han som har gitt navn til alt som kalles far i himmel og på jord. Må han som er så rik på herlighet, gi deres indre menneske kraft og styrke ved sin Ånd. Må Kristus ved troen bo i deres hjerter og dere stå rotfestet og grunnfestet i kjærlighet. Må dere sammen med alle de hellige bli i stand til å fatte bredden og lengden, høyden og dybden, ja, kjenne Kristi kjærlighet som overgår all kunnskap. Må dere bli fylt av hele Guds fylde!"
(Ef 3,14-19)

Rotfestet og grunnfestet i kjærlighet. Selve grunnvollen i Adams liv var *rotfestet* og *grunnfestet* i kjærlighet. Enhver kristen har fått som arv å ha øynene vidåpne for å kunne se den utrolige kjærligheten som Far har for oss. Det er ikke noe som kommer i tillegg til alt det andre i kristendommen. Det er selve grunnvollen i kristendommen! Det handler ikke om en ny bok i bokhylla, for å si det slik. Det er selve bokhylla! Det er ingen ny opplevelse som kommer i tillegg til mine andre erfaringer i livet. Det er grunnlaget for alt det andre! Det helt grunnleggende temaet i kristendommen, det jeg tolker alt annet ut fra, er at *Far elsker deg.*

For noen år siden kom en mann bort til meg etter et møte og sa, "James, du sier at Fars kjærlighet er grunnvollen, men i virkeligheten ... så er det vel korset som er grunnvollen?" Jeg hadde aldri fått dette spørsmålet før og hadde ikke tenkt på det tidligere. Men i løpet av ett sekund svarte jeg, *"Korset er et uttrykk for Fars kjærlighet. Fars kjærlighet er ikke et uttrykk for korset."*

La meg si det slik. Når du blir født på nytt, dykker du ned i frelsens kilde, og du får møte Jesu kjærlighet. Du dykker dypere, og blir vasket ren i blodet! Du dykker dypere og han blir Herren i ditt liv! Du dykker fortsatt dypere og blir fylt med Den hellige ånd. Du dykker enda dypere og blir i stand til å bevege deg i tegn og under. Du dykker fortsatt dypere og får en tjeneste og en salvelse i Guds rike. Du dykker dypere og dypere i rettferdiggjørelsen og helliggjørelsen. Så kommer du til bunnen av kilden, der *alt annet* springer ut ifra. Fars kjærlighet. Det er hva alt handler om! Han er Kilden! Hans kjærlighet er større enn alle andre former for kjærlighet.

PARADISET

Adam ble rotfestet og grunnfestet i kjærlighet fra det øyeblikk han åpnet øynene sine. Så skapte Gud en kone til ham. Hun hadde fra starten av ikke noe eget navn. De ble begge kalt Adam.

Kjærlighet innebar at de to var ett. Adam (og Eva) hadde denne enheten, på samme måte som vi også ønsker å bli totalt forenet. Gud hadde skapt et herlig miljø som han plasserte dem i.

Adam (og Eva) levde i denne hagen og var fullstendig mettet med Fars kjærlighet. Han hadde daglig nært fellesskap med dem. Vi må forstå at Guds relasjon med Adam var som en far til en sønn. Skriften kaller Adam "Guds sønn." Jeg har forsøkt å forestille meg hvordan livet deres kan ha vært, men jeg er ikke i stand til å fatte det. De må ha levd i en tilstand preget av vedvarende fred. En fred *dypere* enn fred i menneskelig forstand. Fordi det ikke fantes noen motsats til denne freden, kan det ikke en gang ha eksistert et eget ord for fred. De levde i en tilstand preget av fullkommen glede. Du kunne ha satt deg ned sammen med dem og forsøkt å forklare begrepet utrygghet, og de ville ikke ha vært i stand til å fatte hva du snakket om. Frykt var helt utenfor deres referanseramme. Livet i Edens hage var preget av uskyld, men samtidig også av modenhet. Vi lengter etter det de eide helt naturlig.

Vi vet at Satan satte ut en snare for dem, og da han la ut denne snaren, gjorde han det godt. Som ung mann levde jeg en tid i villmarken som jeger, og jeg solgte dyreskinn for å tjene til livets opphold. Jeg satte ut mange snarer og feller i skogen og jeg visste bare alt for godt at man må få dem til å se fristende ut. Du vil ikke klare å fange et dyr dersom dyret du forsøker å fange, oppfatter snaren eller fellen som farlig. Den må i praksis se *bedre* ut enn det den gir seg ut for å være, og fremstå som særdeles attraktiv. Da vil byttedyret la seg fange av seg selv.

Den første delen av snaren Satan la ut, var å love kvinnen at dersom hun spiste av treet, ville hun bli lik Gud. Eva *elsket* Gud. Hvor mange av oss har ikke bedt Gud gjøre oss mer lik Jesus?

Hvorfor ber du slike bønner? Fordi du elsker ham! Det ligger i kjærlighetens vesen at den lengter etter å bli lik den elskede og bli en del av det den elsker. Så hun var selvsagt interessert i Satans løfte. Hun ønsket å ligne sin Far. Hun *elsket* Gud.

Så viste Satan henne at frukten var vakker. En ting jeg vet, er at kvinner elsker det som er vakkert. Jeg har vært i hjem som bare har vært bebodd av mannfolk, og hjemmet var slett ikke vakkert, det var bare funksjonelt. Kvinner elsker det som er vakkert.

Eva så på frukten og festet seg ved at den var vakker. Hun så at den var god å spise og at den ga næring. Næring kan uttrykkes på mange måter, men én av de vanligste måter er i form av produksjon og forsyning av god mat. Næring kan også være et uttrykk for kjærlighet, omsorg og føde for familien. Eva strakte ut hånden, tok frukten og spiste den. Hva var det som skjedde da hun spiste frukten. *Ikke noe som helst.*

Adam og Eva sto hverandre så nært at de ikke kunne synde hver for seg. Det var først da *også han* spiste frukten, at begges øyne ble åpnet og at fellen smalt igjen ... PANG! Det var ingen retrettmuligheter. De kunne ikke rømme. Konsekvensene var ikke til å komme bort fra. Jeg tror ikke de egentlig var klar over hvilke konsekvenser det kom til å bli. De visste at dersom de spiste av frukten, ville de dø, men det var trolig den minste konsekvens så langt det gjaldt dem.

Enheten dem imellom var opphevet. *"Mannen kalte kvinnen Eva, for hun ble mor til alle som lever."* (1 Mos 3,20). Det var da Eva fikk sitt eget navn. De ble to, mens de tidligere hadde vært ett. C.S. Lewis bemerket en gang at den dagen kom det et sverd imellom de to kjønn, et fiendskapens sverd mellom det feminine og det maskuline som ennå ikke er blitt gjenopprettet. Gud laget deretter klær av skinn til dem og kledde dem. Nå blir vi vitne til blodsutgytelse. *"Herren Gud sa: 'Se! Mennesket er blitt som en av oss og kjenner godt og ondt. Bare det nå ikke strekker hånden ut og tar av livets tre også, så det spiser og lever evig"* (v. 22). Så forviste han dem fra hagen.

De ble fanget i en snare, og fikk synden til herre. Syndens problem er at den fanger deg og at du ikke kan komme fri på egen hånd. Synden behersker deg. Den eneste måten syndens kraft kan bli brutt på, er ved Jesu blod. Du kan ikke bryte syndens kraft ved å bestemme deg for å leve annerledes, men når Jesu blod får virke, blir du satt fri fra syndens grep. Adam og Eva slo inn på syndens vei, men på det tidspunkt hadde Jesu blod ennå ikke blitt utøst.

TO GRUSOMME VALG

Gud måtte treffe en grusom beslutning. Husk at han elsket dem og bare ønsket det beste for dem, men nå hadde de slått inn på en vei der det bare finnes to muligheter. Han kunne enten sende dem fra seg eller la dem bli igjen i hagen for å leve evig som syndere.

Gud betraktet Adam og Eva i det syndens byrde tynget dem ned. De kom til å synke dypere i fortvilelse, og til å bære på en byrde av skyld som bare ville vokse og vokse. Personlighetene deres ville råtne på innsiden, og de ville bli fanget av grådighet, utrygghet og frykt. Det eneste jeg kan se for meg og som kan gi en viss idé om hvordan de hadde det, er skikkelsen Gollum i filmen *Ringenes herre*. Den skikkelsen fikk tak i noe som var forferdelig ondt. Han klarte ikke å gi slipp på det, var ikke i stand til å slutte med å jage etter det selv om det ødela ham fra innsiden og ut. Han ble en grotesk, slangelignende skikkelse, degradert i forhold til sin opprinnelige natur, og den degraderingen fortsatte kontinuerlig å virke på ham.

Jeg tror at da Gud så på Adam og Eva, forsto han at de allerede hadde påbegynt en prosess preget av forfall. Og i sitt hjerte sa Far, "Vi kan ikke bare la dette fortsette å skje i all fremtid! Om ti tusen år vil de fortsatt være i live og forfallet ville stadig vekk pågå. Vi kan ikke tillate at de fortsetter med å spise av Livets tre. Vi må utvise dem fra hagen. Vi må hindre dem i få tilgang til det treet!" Så sa han til dem, "Nå er det slutt! Dere kan ikke være her lenger."

Det er ikke mulig å forestille seg hva Adam og Eva må ha følt da de hørte dette. De kunne ikke gi Gud skylden for at de hadde havnet i denne håpløse situasjonen. Vissheten om at det var deres egen skyld, gjorde dem bare enda mer fortvilet. Gud kom til dem som en kjærlig Far. Han utviste dem ikke fra hagen for å hevne seg eller å straffe dem. Å sende dem av gårde var det minste av to onder. Da han utviste dem, var Adam og Eva trolig de mest nedbrutte mennesker verden noensinne har sett.

Det er to forskjellige forhold som avgjør hvor mye smerte du opplever når noen knuser hjertet ditt. For det første blir smerten større jo mer kjærlighet du har opplevd. Adam og Eva var blitt elsket av den høyeste makt i universet! For det andre er det slik at dersom hjertet ditt er blitt knust tidligere, vil du vanligvis holde deg litt mer tilbake den neste gangen. Forut for dette hadde Adam og Eva aldri *følt* noen som helst smerte. Det visste ikke hva smerte er. Og nå tror jeg at de må ha følt den største følelsesmessige smerte noe menneske noensinne har opplevd. De var de tristeste og mest fortvilte mennesker verden noensinne har sett. Nå drev han dem fram foran seg i retning av porten som førte ut av hagen. Det synes som om Adam og Eva nesten ikke klarte å få beina til å bære seg på veien ut av hagen, og Far måtte derfor tvinge dem ut med fysisk makt. Han gjorde det ikke for å straffe dem. Han gjorde det ikke fordi Han forkastet dem. Han gjorde det *fordi han elsket dem.*

Gud har aldri gjort noe ut fra noen annen grunn enn kjærlighet, og følgelig drev han dem ut *fordi* han elsket dem. Jeg kan se for meg hvordan de sleper beina sine etter seg, i et forsøk på å bli værende i hagen lengst mulig, for dette var første gang de begynte å oppleve frykt. Hvordan ville det være der ute? Hva mente han med å si at det skulle vokse fram torner og tistler fra jorden, og at de måtte arbeide seg svette for å kunne skaffe seg mat? Det betød at han ikke lenger kom til å gi dem alt de trengte! Alt de trengte, var i hagen! Hvordan skulle de klare seg? De måtte bygge opp et nytt liv for seg. De kom aldri til se ham på den samme måten mer. Livet slik de kjente det, var over.

MENNESKESLEKTEN BLIR FARLØS

Det som i virkeligheten skjedde da Gud drev dem ut av hagen, var at han satte dem ute av stand til å erfare hans kjærlighet. De kom aldri mer til å få oppleve hvor høyt han elsket dem. Synd skaper alltid atskillelse, og nå var det deres synd som skilte dem fra ham. De må ha forstått at den nære relasjonen de hadde hatt med sin Far, tok slutt idet de forlot hagen. Da de forlot hagen, forlot de også omgivelsene der Far hadde elsket dem, og ble mer lik de falne engler som var blitt kastet ut av himmelen. Idet de gikk ut av hagen, representerte de hele menneskeslekten, deg og meg innbefattet. *I dem ble hele menneskeslekten gjort farløse.*

På toppen av det hele skjedde det noe som gjorde ulykken bare enda verre. Engelen som var blitt kastet til jorden som et lysende lyn, begynte å forføre Adam og Eva. En vanhellig allianse var i ferd med å oppstå mellom den farløse ånd som var blitt kastet ut av himmelen, og de farløse hjertene til mannen og kvinnen som nå var fullstendig uvitende om hvordan de skulle kunne klare å leve utenfor hagen. Satan begynte derfor å lede menneskeslekten på den forførelsens vei som bare har fortsatt ned gjennom historien like til denne dag. Ifølge Ef 2,2-3 har vi alle vandret på den samme vei. Verden er blitt et farløst samfunn. Det hjelper ikke om man er frelst, fylt med Den hellige ånd og har en intim relasjon med Jesus. Bare en Far kan ta bort denne farløse tilstanden!

Jeg ofret lenge ikke en tanke på hvordan Gud må ha opplevd det. Han elsket dem med en Fars kjærlighet og han visste hva som kom til å skje. Han visste at grådighet og begjær ville ta menneskehjertet til fange, og at alle ville vende seg mot alle. Han så sverdet som kilte seg fast mellom de to kjønnene idet de forlot hagen, som en usynlig mur mellom mannen og kvinnen. Nå var de farløse i ordets dypeste betydning.

For noen år siden besøkte jeg St. Petersburg i Russland. Det var i november og bitende kaldt. I det jeg gikk ut en kveld, kom en liten gutt på omkring ni år løpende forbi meg. Han hadde bare på seg et par tynne bomullsbokser og en kortermet bomullsskjorte. Han var barbeint, skitten og uflidd og bar på en liten bunt med kvister over skulderen. Jeg antar at han skulle av gårde for å tenne opp et lite bål ett eller annet sted, for å varme seg. Idet han passerte meg, stoppet han opp og så seg over skulderen mot meg. Jeg skal aldri glemme ansiktet hans. Det var som ansiktet til en middelaldrende mann var blitt plassert på kroppen til en liten gutt! Blikket han sendte meg, uttrykte følgende, "Hva kommer *du* til å gjøre med meg." Så snudde han seg og fortsatte å løpe. Det finnes mange slike barn over hele verden. Det er så mye nød og elendighet i denne verden. Så mye lidelse. Langt mer enn jeg er i stand til å ta inn over meg.

Far visste hvordan det kom til å bli, mens han iakttok Adam og Eva idet de var i ferd med å gå ut av hagen og inn i et liv preget av farløshet. Men han visste også at det var bedre enn alternativet, nemlig å leve evig i en tilstand preget av stadig økende forfall. Jeg tror at det i samme stund begynte å forme seg et kraftig skrik i Fars hjerte. Et rop fullt av fortvilelse. En ting jeg som far vet for sikkert, er dette. Når barna mine lider, skulle jeg gjerne ha sett at det heller var meg. Det er vanskeligere å se at barna dine har det vondt enn at du selv har det vondt. Det er nesten ikke til å tåle å være vitne til at barna dine lider, og samtidig ikke være i stand til å gjøre noe med det. Og her ser vi at Far sender barna sine ut, fullt vitende om at lidelse og smerte uunngåelig vil komme. Jeg tror at det fra dypet av hans indre steg opp et skrik. Og mens verden gikk videre og lidelsen bare økte i styrke og omfang, ble skriket bare sterkere og sterkere. Han så for seg hele menneskeslekten, alle sine barn, lide. Farshjertet hans strakk seg ut mot dem, fullt vitende om at de snart kom til å glemme ham og at han i det hele tatt eksisterte og elsket dem.

FARS REDNINGSPLAN

I sitt hjerte følte Gud dyp medfølelse med menneskene, og han sendte folk til dem for å fortelle dem om sin kjærlighet. Han sendte lovgivere og dommere, konger og prester for å uttrykke sitt hjerte og vise dem veien til et liv fritt for all lidelse. Han valgte seg ut et eget folk for å vitne, men uten at det førte fram. Hele menneskeheten sank ned i en farløs tilstand preget av lidelse, ensomhet og nedtrykthet. Når han så hvor vondt barna sine hadde det, kunne han ikke annet enn å rope av fortvilelse. Han sendte profeter. Han sendte kvinner med dyp omsorg for hans folk Israel. Han sendte salmister og diktere som var i stand til med stor veltalenhet å sette ord på den kjærlighet han hadde til sine barn. Men ingen av dem klarte fullt ut å uttrykke det som lå ham på hjertet. Ikke en eneste en!

Til slutt sendte han sin egen Sønn, som et fullkomment avtrykk av hvem han er, et eksakt bilde – sin Sønn. Han skulle ikke bare si det Far ønsket han skulle si, han skulle si det *på nøyaktig den måten Far ønsket at det skulle bli sagt.* Han sendte Jesus! Guds Sønn, Jesus, kom inn i denne verden, og han var fullstendig frikoplet fra denne verdens farløse system. Han levde sitt liv på jorden som en Sønn. Han var ubundet av den farløse forførelse som hadde infisert menneskeslekten i sin helhet. Han kom til verden som en Sønn! Ordene han talte, sprang ut av hans nære forhold til sin fullkomne Far, og alle som hørte ham, ble meget forundret. Fri som han var fra synden og dens virkninger, var han i stand til å sette andre i frihet, fra sykdom og Satans makt. Han kunne forsikre syndere at deres synder var tilgitt. Han befalte de lamme å reise seg og gå. Han gned spytt inn i øynene på blinde så de fikk synet igjen. Han kom til jorden fullstendig fri fra den farløse, falne natur som preget denne verden, for å vise oss hvem Far er og for at alle på nytt skulle få vite at vi har en *Far som elsker oss.*

Mot slutten av sitt liv, før denne verden tok livet av ham, var han *omsider* i stand til å si det som hans Far i himmelen hadde lengtet etter å formidle, det som på samme måte som en vulkan hadde sydet og kokt i Fars hjerte i uttallige generasjoner. *Omsider* kunne han gi uttrykk for det hans Far ønsket at han skulle gi uttrykk for. Fra og med det øyeblikk da Adam og Eva vandret ut av hagen og inn i et farløst liv, forført som de var av den farløse ånd som i tidens morgen var blitt kastet ut av himmelen, lå dette budskapet som et dypt skrik i Fars hjerte.

Nå var tiden endelig kommet da Jesus kunne uttrykke klart og tydelig det som lå på Fars hjerte, ordene som hans Far hadde bedt ham om å si, og å si det slik Far ønsket han skulle si det.

"Jeg lar dere ikke bli igjen som foreldreløse barn. Jeg kommer til dere!!"

Helt fra den stund Far så dem gå ut av hagen og inn i sin farløse tilstand, hadde han måtte holde seg på avstand. Men han sendte sin Sønn for å bryte ned alt som står imellom ham og oss, og han gir oss løftet, *"... jeg vil være deres far, og dere skal være mine sønner og døtre, sier Herren, Den allmektige"* (2 Kor 6,18). Den farløse tilstand som preger hele menneskeslekten, kan ikke drives ut. Men når menneskehjertet møter sin Far i himmelen, er det ikke lenger farløst. Og menneskehjertets farløse tenkesett og atferd vil gradvis forsvinne.

Jesus er ikke døren som fører oss *til* himmelen. *Han er døren som Far kan gå igjennom for å komme til oss!* Forhenget i templet revnet fra toppen til bunnen, og det var ikke for at vi skulle få komme innenfor. *Det ble revet i stykker for at Han kunne komme ut!* Han rev det i stykker og kom ut, og i samme øyeblikk falt hele det religiøse byggverket i grus! Israels kongerike var over og ut. Førti år senere ble templet ødelagt og det var ikke lenger noen kongelig slektslinje etter David. Nå kommer Far ut av templet for å være en far for hele verden!

Så enkelt er evangeliet. Det handler om en Far som har mistet barna sine og som ønsker å få dem tilbake.

Han sendte sin Sønn for å føre oss hjem til seg. Han sa, "Sønn, før dem hjem. Før alle som ønsker å komme, hjem!" Guds Ånds verk består i å føre oss ut av vår farløse tilstand og gi oss sønnekåret tilbake. Jesus kom som Sønnen for å bli Veien til Far. Og når du blir en sønn, kan du lære Far mer og mer å kjenne. Det er hva kristendommen handler om! Er det ikke herlig? Jeg kan nesten ikke tro at han er så god! Hans plan og hensikt er å være en far for oss og lede oss bort fra våre farløse veier. Han fører oss, sine barn, hjem igjen for å være hos Ham.

KAPITTEL 7

Sønnekårets hemmelighet

∿

Helt fra jeg var en ung kristen, er jeg blitt fortalt at jeg må modnes og vokse opp. I vår kristne kultur forsøker vi å bli sterke, velutdannede, kompetente og selvsikre – mens Herren på sin side ønsker at vi skal bli som barn. I denne verden må du skaffe deg en utdanning for å overleve og gjøre det bra, men i Guds rike må vi bli som små barn. I mange år forsøkte jeg å arbeide hardt helt til jeg oppdaget hva det *egentlig* handler om.

Herren har på radikalt vis endret hele vår måte å se kristenlivet på. Da Denise og jeg var i trettiårene, tjenestegjorde vi som pastorer i en liten menighet i en by i New Zealand. Det var menighet nummer to vi virket i som pastorer, og menigheten sørget for at vi hadde det veldig travelt. Vi tilbrakte ofte kveldene våre og hver eneste helg i samtaler med mennesker som trengte råd og veiledning. På et tidspunkt hadde vi ikke kommet oss i seng før etter midnatt i fjorten samfulle dager. Vi hadde også en visjon om å bygge opp et opplærings- og treningssenter. En venn av oss hadde fått overta en eiendom på mer enn hundre mål, og vi hadde flyttet dit for å hjelpe ham å bygge det opp. Vi var hektisk opptatt med å bygge hus, å installere elektriske ledninger og rørsystemer, samt å oppgradere den lille landeveien som førte til eiendommen.

Så talte Herren til oss om å bygge et stort hus med åtte soveværelser på eiendommen. Som resultat av bønn fikk vi gaver tilsvarende en kvart millioner dollar, og det var det vi trengte for å oppføre bygningen. I tillegg begynte jeg å få invitasjoner om å komme og tale utenfor New Zealand, så gjennom en fireårsperiode var vi travelt opptatt med å gjøre Herrens verk. Fra tidlig om morgenen til sent på kvelden (og før vi gikk til sengs, ba vi Herren om å gi oss drømmer om natten) levde, spiste, pustet og sov vi i en atmosfære preget av Guds rike. Vi gjorde alt vi kunne for å bringe Guds verk framover.

Så skjedde det plutselig en forandring. En morgen stod jeg foran inngangsdøren og ventet på at Denise skulle komme seg ned trappen, slik at vi kunne dra til kirken. Da hun nådde bunnen på trappen, satte hun seg med ett ned og begynte å gråte. Alle som kjenner Denise, vet at hun ikke tar lett til tårene. Siden hun gråt, måtte det være noe *alvorlig* galt på ferde. Hadde hun fått en telefonoppringing med dårlige nyheter? Hun gråt så voldsomt at hun ikke klarte å fortelle meg hvorfor hun gråt. Jeg fortsatte å spørre henne, "Hva er det som plager deg?". Men hun klarte ikke å snakke. Alt hun til slutt klarte å si, var, *"Jeg klarer bare ikke å møte disse menneskene ansikt til ansikt enda en gang."*

UTBRENT

Etter sytten år i tjeneste for Herren med fullt trøkk var vi følelsesmessig helt utmattet. Vi levde midt opp i tjenesten, vi så å si spiste og pustet den inn kontinuerlig. Jeg underviste på ulike baser drevet av Ungdom i oppdrag, vi ba om å få massevis av penger til ulike prosjekter, vi hadde taleoppdrag i Sørøst-Asia, Korea, USA og Canada så vel som på Stillehavsøyene. Vi la all vår energi og kraft i å tjene Herren og plutselig møtte vi veggen.

Dette hendte i 1988. Jeg traff en beslutning om at vi ikke kunne bli værende i tjenesten vår når Denise hadde det slik. Selv trodde jeg at det stod bra til med meg. Jeg hadde fått invitasjoner om å tale på noen av Ungdom i oppdrags baser i Australia, og vi fortalte derfor menigheten vår at vi kom til å ta en pause på et halvt år for å holde det vi hadde lovet i Australia og deretter å ta det litt med ro. Men ikke før var vi kommet til Australia, så var det *jeg* som begynte å gråte. Jeg kunne sitte i sofaen i timevis og stirre ned i gulvet mens tårene strømmet nedover ansiktet mitt. Vi var følelsesmessig fullstendig utmattet.

Omtrent på den tiden kom Ken Wright og hans kone Shirley på besøk til oss. Han var den som hadde døpt meg, én av de menn jeg mente jeg kunne si til Herren at jeg var en sønn for. Da de skulle reise hjem igjen, satte Ken seg inn i bilen, og så rullet han bilvinduet ned et par tommer for å si meg noe. Det var bra at han gjorde det på den måten, fordi det han sa, ga meg lyst til å lange ut etter ham. Med et glimt i øyet sa han, "James, du forstår sikkert at det bare er kjøttet ditt som kan bli utbrent." Og vi *var* virkelig utbrent, fullstendig utmattet.

Da jeg hørte Ken si dette, ble jeg helt rasende, "Jeg har ikke arbeidet i kjøttet! Vi har bedt om *ethvert skritt* vi skulle ta for å kunne røre oss i Den hellige ånds kraft, vi har virkelig forsøkt å gjøre alt ved Guds kraft!" Hvordan kunne han si noe slikt? Problemet var bare at det ikke lot seg gjøre å diskutere det han sa. Hvordan kunne jeg si at jeg var utmattet dersom alt hadde vært Herrens verk og at alt hadde vært gjort i hans kraft? Dersom du blir utbrent, er det et tydelig tegn på at mye av *"deg"* har vært involvert i arbeidet. Det var tøft for meg å innse dette. Når det gjaldt tjenesten for Herren, var alt jeg gjorde motivert av et ønske om at Herren måtte gjøre verket i *sin* kraft og ved *sin Ånd. Vi pleide å synge sangen, "Ikke ved makt, ikke ved kraft, men ved min Ånd, sier Herren."* Jeg oppdaget at mange mennesker sang den sangen, for så å gå ut og gjøre Guds verk i egen kraft og i egen styrke. Det forandret ingen ting at vi sang den sangen.

Med alle våre hektiske aktiviteter var vi altså blitt fullstendig utmattet. De neste to år var vi derfor helt utenfor aktiv tjeneste i Guds rike. Vi var fullstendig slått ut, nesten nede for telling. Denise trodde at vi aldri ville komme tilbake til noen form for aktiv tjeneste igjen, og for min del ante jeg ikke hva jeg skulle gjøre med resten av mitt liv dersom jeg ikke skulle arbeide for Herren. Vi forsøkte oss på noen jobber, men det var slitsomt å utføre selv de enkleste ting. Bare det å tenke en logisk tankerekke en halv times tid var svært krevende Jeg syntes det var ekstremt anstrengende å gjøre noe så enkelt som å klippe plenen. Som oftest følte jeg en sterk trang til å sove etter å ha klippet plenen. Ikke fordi jeg var fysisk trett, men fordi plenklippingen gjorde meg mentalt utmattet.

Alt dette bidro til at jeg begynte å revurdere mange ting ved kristenlivet. Jeg hadde alltid satt meg fore å være samvittighetsfull og pliktutfyllende i alt jeg foretok meg, både i mitt personlige andaktsliv og under prekenforberedelser og sykebesøk. Da jeg var pastor, kom det hele tiden en strøm av mennesker til meg på kontoret for å dele sine problemer med meg. Når de forlot meg, var problemene vanligvis blitt løst, men de hadde etterlatt dem *hos meg,* og nå var det *jeg* som måtte bære byrden av problemene, mens de følte seg mye bedre. I årenes løp bare hopet dette seg opp helt til jeg ikke klarte å takle det mer. Jeg begynte å tenke at det måtte finnes en bedre vei.

PRESS TIL Å VOKSE OPP

Etter et par år fikk jeg en invitasjon til å komme og tjenestegjøre som pastor i en liten karismatisk baptistmenighet i Auckland. Jeg dro for å besøke dem og fortalte dem om hvordan det stod til med helsen min. Jeg fortalte dem hva legen min og mine nærmeste venner sa til meg om helsen min. De svarte, "Vi ber deg ikke om å gjøre en masse ting. Dersom du bare kan jobbe et par dager i uken, så vil det være en god begynnelse." De var så vennlige og forståelsesfulle mot oss. Vi tilbrakte de neste sju årene der, og det ble til legedom for oss og dem, fordi de tidligere hadde hatt en konflikt der både pastoren og eldsterådet forlot dem. Vi var i stand til å føre folket tilbake til Herren i stedet for å dvele ved konflikten, og Herren leget og helbredet oss alle gjennom denne tiden.

I 1994 fikk jeg høre om Toronto-fornyelsen, og jeg dro derfor av sted til Canada. Og det Gud gjorde der, rørte meg dypt. Jeg opplevde det som om Herren pustet nytt liv inn i meg. Jeg hadde en sterk opplevelse av at Herren velsignet meg og følte at vi var i ferd med å starte opp på nytt. I 1997 kjøpte vi oss en flybillett for å reise verden rundt sammen med Jack Winter, for å se hva Gud kunne utrette gjennom oss. I de neste fire og et halvt årene var vi kontinuerlig på reisefot og vi er fortsatt tilknyttet denne tjenesten, og opplever at alt er blitt nytt.

Da jeg i sin tid ble en kristen, lød budskapet som jeg vanligvis fikk høre, slik,

"Nå når du er blitt en kristen, må du vokse opp i Herren. Nå må du bli en moden kristen. Nå ligger seieren foran deg, broder! Uansett hva som skjer, så vil du oppleve gjennombrudd. Du må bare søke Gud og finne ham midt i situasjonen, og da vil du bli en overvinner!" osv. osv.

Hele tiden lå det derfor et evig press på meg om å bli en mer moden kristen. På den tiden sang vi ofte en sang som jeg mislikte sterkt å synge. Mye av teksten var hentet fra Bibelen, men det var en strofe som forvrengte alle de andre skriftstedene i sangen. Jeg ber om unnskyldning overfor hvem det enn måtte være som har skrevet sangen, men slik lød den, *"Jeg er en seierherre, jeg er full av seier, jeg regjerer sammen med Jesus. Jeg har satt meg ned med ham i himmelen."* Alt dette er for så vidt hentet fra Skriften. Men så kom det altså en strofe som jeg ikke klarte å synge. Den lød slik, *"Jeg kjenner ikke til noe nederlag, bare kraft og styrke."* Jeg vet at det var tenkt som en positiv bekjennelse, men dersom jeg var nødt til å si det, så ville det være en løgn, fordi jeg så ofte hadde kjent på nederlag i mitt liv, og ikke akkurat så mye kraft og styrke.

Dette budskapet ble forkynt stadig sterkere,

"Du må tale positivt. Fordi du er en overvinner, kan du ikke tillate deg selv å ha negative tanker! Du må bare stå på i tro og holde fast ved seieren. Du må dyktiggjøre deg og la deg fylles med tro. Du må kjenne Ordet, høre alle budskapene, lytte til alle forkynnerne og lese alle bøkene. Du må bli en superkristen, Guds fullmodne mann!"

Det de sa var, "Når du blir en kristen, må du få alt til å fungere!" Jeg innså at selv om jeg skulle få alt til å fungere, så ville det fortsatt være i egen kraft. Alt dette snakket om positiv tenkning er bare overmot og har ikke noe med tro å gjøre. Om vi bare kan være ærlige om hvor vi befinner oss og ikke benekte virkeligheten, vil vi vinne mye på det. Mye av det vi fikk høre i forkynnelsen, var en form for fornektelse, og fornektelse har ingen ting med seier å gjøre.

RIDDEREN PÅ DEN HVITE HEST

For noen år siden hadde jeg et syn som forvandlet hele mitt liv. I synet stod jeg i en gammel skog. Jeg visste at den var gammel fordi den bestod av gamle eiketrær med digre grener som strakte seg vidt ut. Det minnet meg om Sherwood-skogen fra fortellingen om Robin Hood. Jeg stod der på den gressdekte skogbunnen og mens jeg så meg omkring, oppdaget jeg plutselig at jeg stod på en gammel vei som ikke lenger var i bruk og som var overgrodd med gress. Jeg kunne bare ane hvordan den snodde seg fram mellom trærne. Mens jeg stod der, la jeg merke til at det var noe som kom imot meg mellom trærne.

Da det kom nærmere, kunne jeg se at det var en hvit hest og på hesten satt det en middelaldersk ridder. Ridderen holdt et sverd opp i været med flatsiden fram, og tilkjennega derved at han ikke hevet det til angrep. Den andre armen strakte han ut med åpen hånd. Det merkelige var at han ikke holdt i noen tømmer! Da han nærmet seg, kunne jeg se at hesten *danset*. Noen få skritt fram og noen tilbake. Noen få skritt den ene veien og noen den andre. Hesten gjentok denne bevegelsen igjen og igjen. Ridderen hadde det åpenbart ikke travelt. Han bare satt der med opprakte hender og holdt i sverdet sitt.

Ridderen nærmet seg meg langsomt på den dansende hesten sin, og øynene mine begynte å legge merke til at det var mer som rørte seg. Ut fra den mørke skogen og fram mot veien kom det mennesker. Lysskjæret som omga hesten og rytteren strakte seg inn i den mørke skogen. Noen mennesker gråt og andre lo. Andre var såret og de krabbet framover mot lyset og ble fylt med glede. Noen danset som små barn, de holdt hverandre i hendene og danset en ringdans. Noen knelte ned med opprakte hender ved siden av veien idet ridderen passerte, og tilba Herren. Ridderen var ikke Herren, men han bar med seg Herrens herlighet og den strålte fram fra ham og inn i skogsmørket.

Med ett innså jeg at jeg stod midt i veien. Men jeg hadde ingen ting å frykte og følte ikke at jeg burde tre til side for å slippe dem forbi. Jeg bare stod der og hesten kom rett fram til meg og stoppet opp. Ridderen hadde visiret på hjelmen nede slik at ansiktet var skjult. Han bare satt der uten å røre seg. Da følte jeg intuitivt at jeg ble bedt om å sette foten min på stigbøylen oppå foten til ridderen. Så jeg satte foten min på stigbøylen oppå den rustningskledde foten og dro meg selv opp slik at jeg ble stående ved siden av ham. Han skiftet overhodet ikke sin egen stilling. Sverdet holdt han fortsatt opp i været med utstrakt hand. Jeg så på ham, men kunne ikke se ansiktet hans fordi visiret var nede og åpningen i visiret var så smalt at det ikke var mulig å se igjennom det.

Jeg strakte meg fram og løftet på visiret for å se ansiktet hans. Men da jeg løftet på visiret, var det ikke noe ansikt på innsiden! Det var helt tomt! Så derfor tok jeg hjelmen helt av og til min skrekk fantes det ikke noe hode! Jeg så derfor ned i halsen på rustningen og der nede, på innsiden av rustningen, satt det en liten gutt – bare en liten gutt! Han smilte imot meg, som om han ville si, "Dette er århundrets spøk! Jeg bare sitter her på denne hesten og vi danser og det skjer en hel del ting omkring meg og mennesker kommer til Herren, folk blir berørt og frelst og helbredet og velsignet og alt dette skjer – og de tror at jeg er Guds ridder. Men jeg er bare en liten gutt!" Da jeg så dette, og så ansiktet på den lille gutten med det store smilet, forstod jeg for første gang i mitt liv hva kristen tjeneste dreier seg om.

MENIGHETEN ER EN FEST

Gjennom alle år er menigheten blitt beskrevet på mange forskjellige måter. Den er blitt beskrevet som en hær. Noen skrev en gang en bok med tittelen *"Bruden med stridsstøvler."* Selv om jeg ikke har lest boken, må jeg innrømme at jeg ikke liker tittelen. Se for deg at du deltar i en vielse. Alle venter spent på at bruden skal komme. Så starter musikken som et klarsignal til om å gå oppover i midtgangen i kirken. Her kommer bruden – med trampende føtter! Bryllupsgjestene snur seg rundt for å se henne komme gående oppover i midtgangen, med stridsstøvler som smeller hardt mot steingulvet. Jeg kan ikke få meg til å tro på en slik beskrivelse av bruden.

Vi har tenkt at menigheten er en hær og at alle og enhver må delta i striden og marsjere framover med militær presisjon. Menigheten er noe langt mer enn vi noensinne kan drømme om, med sitt vide spekter av gaver og frihet for alle til å delta, hver med den utrustning og de gaver de har fått. Det har aldri vært meningen at menigheten skal støpe alle i den samme formen. Menigheten skal gi rom for individualitet, der den enkeltes gaver kan uttrykkes i fullkommen harmoni med de andre. Menigheten er som en symfoni med ulike gaver under Den hellige ånds ledelse. Noen har beskrevet menigheten som et sykehus, der vi alle ligger i hver vår seng for å bli tatt hånd om. Dette er en uttalt oppfatning i mange kirkelige miljøer, men jeg har funnet sannheten. Vet du hva menigheten *egentlig* er? *Menigheten er en fest.*

Som ung kristen ble jeg stadig vekk oppfordret til å gå ut og frelse verden. Verden trenger selvsagt å bli frelst! Svaret er Jesus.

Men det er ikke min kunnskap og min forståelse (ikke en gang av kristendommen) som frelser verden. Da jeg kom ut av min utbrente periode, fikk jeg ofte besøk av folk som ville ha hjelp til å løse problemene sine. Når jeg lyttet til det de hadde å si, pleide jeg å gjenta for meg selv inni meg, "Dette er ikke mitt problem. Jeg behøver ikke å løse det." Jeg pleide å be Herren om å hjelpe dem og betjene dem, fordi jeg selv ikke kunne påta meg byrden de bar på. Det finnes ting i våre liv som først og fremst må få være mellom Herren og oss. Folk kan hjelpe deg, men de kan ikke bære deg. Jeg lærte meg derfor å avstå fra å bli tynget ned av andres problemer og å være som et lite barn.

SOM ET LITE BARN

Jeg har oppdaget et karakteristisk kjennetegn ved mennesker som lever nær Gud. De mest vidunderlige mennesker og de som er mest lik Kristus, er også de som har mest av barnets natur i seg. Jack Winter var i utpreget grad et slikt menneske. Han trodde ganske enkelt på Bibelen, og som et resultat av det fikk se Gud gjøre de mest utrolige ting.

Jack hadde en forbeder som het Amy. Hun bad for ham og gikk også i forbønn for oss. Hun var i åttiårene da jeg møtte henne for første gang. Hun kom til New Zealand og gikk i forbønn for meg gjennom to uker, åtte timer hver dag i tunger. Det var hennes jobb. Hun hadde med seg en venninne og de pleide å gå inn i et lite rom og lukke igjen døren, og så kunne vi høre de mest utrolige lyder komme ut gjennom veggene fra dette rommet. De ba med stor autoritet. Men når hun stoppet opp med å be og kom ut for å spise lunsj sammen med oss, var hun som ei lita jente på tre år! Hun spøkte og lo hele tiden. Det var så morsomt å være sammen med henne og latteren hennes bar preg av en uskyldig renhet, uten noen som helst tilgjorthet. Akkurat som et lite barn som ikke aner noe om hvordan det skal gjøre seg til eller skape seg om. Hun var bare som ei lita jente.

Vi har så ofte fått høre at vi må vokse som kristne. Vi har fått høre at vi må dyktiggjøre oss og bli modne. Vi har fått høre at vi må lære oss alle leksene og vokse i kunnskap, slik at vi alltid kan gi de rette svarene når folk spør oss om noe. Mange predikanter sa ofte til meg, "Dersom menigheten virkelig hadde gjort jobben sin, ville vi ha gjort både det ene og det andre, fordi det er vårt ansvar å rette på alt som er skjevt og galt i denne verden." Vet du hvor Herren fant oss? Han fant oss i rennesteinene, under busker og i trange smug – noen ganger i helt bokstavlig forstand. Vi var helt utslått og hadde rotet til alt i livene våre. Vi tilhører ikke de fine i denne verden. Vi var uten håp, vi klarte ikke å gjøre de rette tingene. Han fant meg under et tre, et eller annet sted ute i villmarken. Jeg vet ikke hvorfor han valgte meg. Jeg tilhører samfunnets avskum. Hvorfor kom han og fant meg?

Ifølge den presbyterianske kirkes bekjennelsesskrift – Westminster Confession – er mennesket til for å tilbe Gud og fryde seg i ham. Det er nok. Vi trenger ikke noe mer. Det gjelder både for vår kristne tjeneste og for våre personlige liv. Kristenlivet handler ikke om å strebe for å bli stadig mer dyktig, men om å bli mer og mer som et lite barn. Jo mer vi blir som et lite barn, jo nærmere kommer vi Kristus. Og jo nærmere vi kommer ham, jo mer blir vi som et lite barn. Tror du Jesus sa, *"Den som ikke tar imot Guds rike som et lite barn, skal ikke komme inn i det"*, samtidig som han selv hadde en annen vei å gå?

Barn vet å fryde seg over livet. Hvem er det som eier mest glede? En advokat eller et lite barn? Hvem er det som ler av hjertens lyst?

En arkitekt, en politimann eller ei lita jente? Det er alltid et barn. Hvorfor er det slik? Fordi barna ikke er fanget opp av alle livets problemer og vanskeligheter. De bare ler og ler av ting som vi ikke en gang smiler av. De har en utrolig evne til å glede seg i nuet. Ofte er det slik at vi med vår kristendom, slik vi kjenner den, bare gjør livet enda mer seriøst. Vi kan bli livredde for ikke å gjøre tingene på den rette måten og ikke å leve rett. Det er ikke til å undres over at ikke-kristne mennesker ser på oss og tenker, *"Jeg ønsker ikke å bli som en av dem."*

JESUS ER LIK ET BARN

Jesus var selv i ekstrem grad lik et barn. I Matteus-evangeliets ellevte kapittel, vers 25 heter det, "På den tiden tok Jesus til orde og sa: 'Jeg priser deg, Far, himmelens og jordens herre, fordi du har skjult dette for vise og forstandige, men åpenbart det for umyndige små'"

Det tok meg år å forstå at Jesus her i virkeligheten snakker om seg selv. Hva er det han sikter når han sier "dette?" Han snakker om det han har undervist om i de foregående kapitlene. Dersom det ikke var blitt åpenbart for de vise og forstandige, hvem var det da blitt åpenbart for? *Det ble åpenbart for Jesus.* Det var han som underviste dem. *Hans Far lærte ham om disse tingene fordi Jesus hadde et barns hjerte.* Han sa, *"De ord jeg sier til dere, har jeg ikke fra meg selv"* (Joh 14,10). Han sa med andre ord, "Jeg har ikke funnet ut av dette rent teologisk. Jeg har ingen mening om alle disse læremessige spørsmålene."

Han sa også, *"Sønnen kan ikke gjøre noe av seg selv"* (Joh 5,19). Han sa ikke, "Sønnen vil ikke gjøre noe *ved* seg selv," slik mange av oss leser dette skriftstedet. Han sa, *"Sønnen kan ikke gjøre noe AV seg selv."* Med andre ord sa han, "Det er intet i meg som kan gjøre det jeg gjør eller lære det jeg lærer. Undrene jeg gjør, skjer *gjennom* meg, ikke av meg. Ordene jeg taler, er ikke mine ord. Det er min Far som bor i meg, som gjør alt dette."

Han sa ikke, "Sønnen *ønsker ikke å gjøre noe av seg selv."* Og *han sa heller ikke, "Sønnen har valgt ikke å gjøre noe av* seg selv." Han sa, "Sønnen *kan* ikke gjøre noe av seg selv." Hvilken utrolig uttalelse!

Jeg sier det i ærbødighet, men Jesus var utrolig inkompetent. Han var ikke voksen og moden! Han var som et barn. I våre menigheter i dag har vi ofte et sterkt ønske om å være vise og fornuftige. Jack Winter pleide å bemerke at det ikke er lett for pastorer og ledere å ta imot denne åpenbaringen. Med min egen bakgrunn som pastor kan jeg godt forstå det presset som pastorer og ledere lever under. Pastorer synes ofte at dette budskapet passer godt for menigheten, men at det ikke kan anvendes på leder-skapet. Menighetsledere trenger å åpne sine hjerter for det Gud har for dem.

Visdom kan fungere bra i en gitt situasjon, og forstand kan være til hjelp når man skal treffe de rette valg med tanke på en god fremtid. Pastorer kan være svært opptatt av å gjøre ting på den rette måten – "Hva er det riktig å si, på hvilken måte kan jeg best møte denne situasjonen? Hva skal vi foreta oss på ledermøtet? Hvordan kan jeg best forberede meg for de neste fem årene?" Sakte men sikkert blir det mer og mer viktig å leve livet på den rette måten og å gjøre de "rette tingene." Jack Winter var av den oppfatning at mange pastorer ofte er blitt de "vise og forstandige" og har avstengt sitt barnlige hjerte.

Jeg sier ikke at vi ikke skal opptre med visdom og bruke fornuften, men tro bare ikke at det handler om modenhet. Når vi begynner å gjøre oss tanker om at *"Dette handler om modenhet, nå er jeg en moden kristen fordi jeg gjør alle disse tingene,"* da blir visdom og forstand selve målet for våre liv, og det kan i virkeligheten fungere som et hinder for å ta imot åpenbaring. Åpenbaring gis til dem som har et barnlig hjerte. Jeg tror at det er en av grunnene til at Kristi kropp i det siste århundre har kommet så til kort når det gjelder å motta åpenbaring fra Gud og å ha nært fellesskap med ham. Vi har vært så opptatt av å være vise og forstandige, mens Herren i virkeligheten har ønsket å lede oss dit hvor vi kan bli som et lite barn.

Å HA KUNNSKAP OM ALT GIR INGEN LYKKE

For noen år siden var jeg i Nederland på et sted som heter Vlissingen. Mens jeg en morgen drakk kaffe sammen med verten min, sa han til meg, "James, jeg har oppdaget noe. *"Man blir ikke lykkelig av å ha kunnskap om alt."* Den uttalelsen gjorde enormt inntrykk på meg. Helt fra den første stund da jeg ble en kristen, fikk jeg hamret inn i meg at jeg måtte vite alt, og at jeg, for å kunne være en kristen leder, måtte ha en mening om alt. Jeg måtte vite hva ethvert skriftsted egentlig betydde eller i det minste kjenne til alle ulike oppfatninger om det. Det lå et sterkt press på meg om å *vite alt.*

Litt senere, mens jeg fortsatt var i Nederland, talte jeg på en mannskonferanse og delte rom med en diger hollender som snakket med en rungende røst. Vi var etter hvert blitt gode venner. En søndag etter at det siste møtet var ferdig, satt vi på hver vår sengekant og ventet på å bli kjørt tilbake til Amsterdam. Mens jeg satt der, stilte han meg et spørsmål vedrørende lederskap eller noe som hadde med kristen tjeneste å gjøre. Jeg svarte, "Å nei, det vet jeg ikke." Han sperret øynene opp, og så falt han tilbake på sengen og skoggerlo. Hele sengen ristet mens han lo. Etter et par minutter så han på meg og sa, "Vet du det ikke?" Jeg sa, "Nei," og så falt han tilbake på sengen igjen og rullet rundt mens han lo av full hals. Jeg bare satt der, helt forundret over hvordan han reagerte. Til slutt satte han seg opp igjen, "James, du er en god forkynner. *Du er nødt til å vite det*". Det er presset vi blir utsatt for. Presset om å skaffe seg mer og mer kunnskap, å bli vise og forstandige, å bli eksperter.

PAUL SIMON'S SANG

Etter at Denise og jeg hadde møtt veggen, dro vi til Australia for å oppfylle en forpliktelse vi tidligere hadde gjort om å tale på en av Ungdom i oppdrags baser. Vi opplevde denne tiden som helt forferdelig. Vi var fullstendig utmattet, men Herren hjalp oss slik at vi klarte å gjøre det vi bare måtte gjøre. Vi kjørte en gang tvers gjennom villmarken i Australia fra Adelaide til Brisbane og hadde nettopp passert en by helt vest i New South Wales som het Bourke. Det heter at dersom du befinner deg der, betyr det at du virkelig er langt unna sivilisasjonen. Så vi kjørte langs disse veiene der du kan kjøre i tolv timer uten at landskapet endrer seg noe vesentlig.

Mens vi kjørte, hørte vi på Paul Simon's album *Graceland* på stereoanlegget i bilen. En av sangene der handler om en kar ved navn Fat Charlie The Archangel. Den går slik, "*Fat Charlie The Archangel skled inn i rommet. Han sa 'Jeg har ingen mening om verken det ene eller det andre.'*" Da brøt Denise plutselig ut i latter. En "erkeengel" som ikke har en mening! Det er helt i orden ikke å vite noe! Selv om du er en erkeengel! Idet vi begynte å le, forsvant også alt presset og forventningene om å vokse opp og bli sterke, å modnes og få alle ting på plass litt etter litt. Etter i årevis å ha strevet med å skaffe oss kunnskap og oversikt, var det til stor hjelp for oss å tenke på at ikke en gang en "erkeengel" faktisk behøver å ha noen mening om ett og alt.

"Busy, busy, busy"

Ofte når jeg besøker en menighet, får jeg en mulighet til å tilbringe litt tid sammen med pastoren før møtet der jeg skal tale. En menighet har sin egen kultur, på samme måte som en nasjon har sin kultur. Jeg besøker mange forskjellige menigheter, så når jeg ankommer en plass for første gang, har jeg mine åndelige antenner opp, i et forsøk på å finne ut hvilken kultur som preger den og hvilke deler av den kristne tro pastoren vektlegger. Dette med sikte på å bygge en relasjon med dem og å kunne kommunisere mest mulig effektivt. Jeg pleier ofte å stille pastoren noen spørsmål, og svarene hans gir meg mye innsikt. Ett av de spørsmål jeg stiller pastoren er, "Hvordan går det i menigheten din?" Svært ofte får jeg et svar som går langs følgende baner,

"Å, vi har det så travelt. Her er det fullt kjør! Vi har så mye på gang og opplever en sterk vekst i menigheten. Nå skal vi ha en konferanse og venter besøk av den og den predikanten. Vi holder på med å utvide parkeringsplassen og må også utvide kjøkkenet. Denne weekenden skal vi ha et evangeliseringsframstøt i Afrika. Ungdomsgruppen vår er i skikkelig fin vekst. Ja, den er faktisk så stor at vi må engasjere flere nye ungdomspastorer. Og vi må ha flere parkeringsvakter. Vi samler inn penger til det ene prosjektet etter det andre. Vi har en ny menighetsplanting her og en annen der. Kvinnearbeidet har virkelig tatt av og vi holder på å forberede en evangeliseringskampanje i nabobyen."

Alt jeg hører er, "Busy, busy, busy." Mange pastorer tror at det er det jeg ønsker å høre. Dersom du er en gjesteforkynner, ønsker de å gi et godt inntrykk. Når jeg hører om all disse hektiske aktivitetene, tenker jeg, "Hallo! Hva er det som er galt her?"

Tenk deg at du en gang gikk til Jesus mens han vandret rundt omkring i Nasaret og spurte ham, "Hvordan står det til med arbeidet ditt, Jesus?"

"Å, det er så travelt! Vi skal av gårde til Kapernaum i ettermiddag; vi må skaffe oss en båt å tale fra, fordi folkemassen som ønsker å høre på meg, kommer til å bli alt for stor. Vi kan ikke ha noe høytaleranlegg, men vi kan bruke vannet. Og så er det Lasarus som nettopp er død, og det forventes at jeg skal komme opp til Betania, og Maria og Marta er helt fra seg. Jeg skulle ha vært der for noen dager sider, men her er det fullt kjør! Jeg har talt og undervist over alt her i omegnen, og så må jeg jobbe med disiplene, men Peter er litt av et problem. Så jeg må sørge for å få ham på rett kurs. Og så ble jeg opptatt med å jage pengevekslerne ut av tempelet. Du har sikkert hørt at det var en som døde, men jeg ble heftet opp med forskjellige ting og måtte dra til et annet sted for å vekke en annen opp fra de døde. Det forsinket oss en god del, men vi fikk i alle fall hjulpet en kvinne med en blodsykdom, og nå er vi på full fart videre – det er bare å stå på! Må sørge for å lære opp disse disiplene."

Dersom du hadde spurt Jesus om hvordan det gikk med tjenesten hans, tror jeg ikke han ville han svart slik! Han ville sannsynligvis ha svart omtrent slik, *"Far er virkelig fantastisk. Vi har sett ham gjøre de mest utrolige ting. Vi bare henger oss med på det han gjør, forstår du. Det er helt utrolig hva han gjør. Det handler ikke om meg, men om ham! Han forteller meg det jeg skal si, og så sier jeg det. Det er utrolig hva som skjer når jeg sier det han ber meg om å si. Når jeg rører ved folk, skjer det mirakuløse ting. Forrige dagen møtte vi en kar med en vissen arm, og hele armen han ble frisk og sterk. Det var helt herlig! Vi opplever virkelig en fantastisk tid!"*

Jeg tror han ville ha vært full av glede. Når disiplene til døperen Johannes kom til ham og spurte, *"Er du den som skal komme, eller skal vi vente en annen?"* svarte han, *"Blinde ser, lamme går og døve hører."* Han hadde ikke behov for å forsikre Johannes om at han var Messias. Jeg tror at det han *i virkeligheten* sa, var, "Det som skjer, er helt vidunderlig. Vi gjør ingen ting på egen hånd. Det er Gud som gjør det. Vi er bare som små barn som leker og har det skikkelig gøy."

Slik jeg tidligere har uttrykt det, har jeg lært meg at Guds rike er et party. Svært ofte har vi gjort det til en evangeliseringskampanje eller en god sak. Vi har gjort det til noe som er veldig seriøst og krevende. Det er aldri noe vanskelig å invitere noen til et party, men det er atskillig vanskeligere å invitere dem til en gudstjeneste i en kirke.

DIN SVAKHET ER DIN STYRKE

Apostelen Paulus visste hva det vil si å leve med det paradoks som svakhet er. Han skriver om det i sitt andre brev til menigheten i Korint. Jeg synes forresten det er interessant å merke seg hvor mye Paulus snakker om seg selv. Det kunne ha vært fascinerende å se nærmere på de tilfellene der Paulus bruker ordene, "jeg," "meg," "mitt," eller "mine" i brevene sine. Seks ganger i brevene kommer han med følgende råd, "Bli mine etterfølgere." Jeg vil hevde at det er verdt å merke seg de gangene der Paulus snakker om meg selv. I 2 Kor 12,7 skriver Paulus om meg selv på følgende måte,

"For at jeg ikke skal bli hovmodig på grunn av de høye åpenbaringene, har jeg fått en torn i kroppen, en Satans engel som skal slå meg – for at jeg ikke skal bli hovmodig."

Vi vet ikke eksakt hva denne tornen i kroppen var, men det er tydelig at Paulus hadde et problem. Og det var ikke noe ubetydelig problem. Noen har fleipet og sagt at tornen i kroppen hans var hans egen kone. Det tror jeg ikke det minste på! Vanligvis er det mitt inntrykk at ektemenn i langt større grad er en torn i kroppen i forhold til konene sine enn motsatt. Andre sier at denne tornen i kroppen til Paulus var at han var kortvokst, fordi navnet hans kan bety "liten." For en mann av Paulus' kaliber ville det ikke ha hatt noen betydning. Om det hadde vært tilfelle, tror jeg ikke i det hele tatt at det ville ha berørt Paulus på negativt vis. Andre igjen sier at Paulus var svært svaksynt og i ferd med å bli blind. I Gal 4,15 skriver han, *"Jeg kan bevitne at dere den gang ville ha revet ut øynene deres og gitt dem til meg, om det var mulig."* Han visste hvor høyt de elsket ham fordi han hadde delt evangeliet med dem. Men uansett hva denne tornen i kroppen kan ha vært, er det på det rene at han hadde et problem. Og mer enn det, når han beskriver problemet som en "Satans engel, må det helt åpenbart ha plaget ham sterkt.

I det neste verset skriver han,

"Tre ganger ba jeg Herren om at den måtte bli tatt fra meg."

Paulus hadde jo opplevd mange prøvelser, og han hadde fått erfare Guds nåde hele veien. Men uansett hva denne tornen i kroppen var, må den ha plaget ham så sterkt at han tre ganger bønnfalt Gud om å ta den vekk. Den må åpenbart ha vært svært krevende å leve med. Da han ba Herren om å ta den fra ham, fikk han negativt svar. Men Gud sa likevel til ham, "Min kraft blir fullendt i svakhet" (2 Kor 12,8 Bibelen – Guds ord).

Min kraft blir fullendt i svakhet. Sannheten er at dersom du ønsker at Guds kraft skal hvile over deg og du er sterk i deg selv, så diskvalifiserer du i virkeligheten deg selv fra å være fylt av Guds kraft. Guds kraft kommer over mennesker som er svake. Paulus' styrke var ikke at han var sterk og dyktig og hadde alle svarene. Tvert imot, så kom Guds nåde over ham *på grunn av* hans svakhet. Herren sa, "Min nåde er nok for deg, for min kraft blir fullendt i svakhet."

Det jeg har oppdaget, er at dersom du tror Gud bruker deg fordi du ber masse, eller at han bruker deg fordi du har gjort det ene eller det andre, *så vil du i ditt hjerte ta hele æren selv.* Du kan til og med si, "Jeg gir hele æren til Herren," men det er ikke det du sier, som Herren bryr seg om. Han ser på hjertet ditt. Når du tar æren selv, vil Gud ta kraften fra deg. Han vil ikke dele sin ære med noen. Det må tro til for å kunne si at vi ikke eier noe i oss selv som gjør oss kvalifisert til å bli brukt av Gud. Det skal mer tro til for å ta skrittet ut og stole på at Gud kan bruke deg. Det skal enda mer tro til for å gjøre Guds verk når du er hundre prosent overbevist om at du ikke eier noe i deg selv som er verdifullt for Gud.

VÆR SOM ET LITE BARN

Et annet eksempel på Paulus' svakhet finner vi i det første brevet til korinterne, kapittel 2. Ifølge bibelforskere var menigheten i Korint den mest kjødelige menighet i sin tid. Den hadde i alle fall rykte på seg for å være det. Og til dem skriver altså Paulus, han som i utgangspunkt var en høyt skolert rabbiner. Han var akademisk briljant og samtidig full av religiøs iver. Og så hadde Herren åpenbart seg for ham så sterkt at han måtte få en torn i kroppen for å forhindre at han i sitt hjerte opphøyet seg selv. Selv ikke apostelen Peter forsto alt det Paulus sa. I ett av brevene sine (2 Pet 3,15-16) skriver han at *"... vår kjære bror, Paulus, har skrevet til dere, ut fra den visdom som er gitt ham. Om dette taler han i alle de brevene hvor han kommer inn på disse spørsmålene. Det er noe der som er vanskelig å forstå ...").* Peter strevde med å forstå det Paulus skrev om. Paulus hadde etter alt å dømme en utrolig åpenbaring, og her henvender han seg til menigheten i Korint for å forsøke å ordne opp i noen problemer.

I kapittel 2, vers 3 skriver han til menigheten i Korint, *"Svak, redd og skjelvende opptrådte jeg hos dere."*

Han kom ikke til Korint for å si til dem, "Jeg har funnet ut hvordan vi skal løse hele dette problemet med menighetsvekst. Jeg vet hva som skal til. Jeg kan komme og ordne opp i alle problemene deres. Jeg vet hva jeg skal si til menighetslederne og resten av leder-gruppen. Jeg har erfaring og praksis. Jeg kjenner knepene. Jeg skal sette alt i menigheten i rett skikk i løpet av en ukes tid – uten prob-lemer – og i alle fall innen det har gått to uker. Han sa ikke noe i den retning. Men det han sa, var, *Svak, redd og skjelvende opptrådte jeg hos dere.* Han visste ikke hva han skulle gjøre.

Paulus hadde lært seg den samme hemmeligheten som Jesus. Om å være som et lite barn. Når vi tror vi vet hvordan vi skal løse alle slags problemer, da er vi diskvalifisert.

Gud kommer til oss i vår svakhet. Du bør ikke ha fikset alt for å være Guds sønn eller datter. En av Denise's beste venninner, Katie, delte vitnesbyrdet sitt på et møte for noen år siden, og jeg har aldri hørt et mer ydmykt og selvutslettende vitnesbyrd i hele mitt liv. Jo mer hun delte, jo mer følte jeg at hun var min søster. Jeg hadde selv ikke erfart den samme smerten som henne, men jeg kunne likevel identifisere meg med realitetene i vitnesbyrdet hennes. Når folk forteller om hvor sterke de er og at de har alt under kontroll, har jeg absolutt ingen ide om hvordan jeg skal forholde meg til det. Jeg vet at det er tider der det kan *se ut som* om jeg har alt under kontroll, og når salvelsen så kommer, ser det ut som om jeg bærer på en rustning. Det kan se ut som om jeg faktisk er en Guds ridder. *Men dersom du tar av meg hjelmen, så er det bare et tomt hull der nakken skulle ha vært.*

DET KOM EN TID DA JEG SLUTTET MED Å SPILLE ET SPILL

En gang for lenge siden pleide jeg å late som om jeg kunne mine saker, og jeg lærte meg en rekke forskjellige triks for å fremstå som sterk. Så begynte jeg å forstå at min svakhet i virkeligheten er mitt største aktivum. Jeg var bare en jeger som ble frelst ved en feiltakelse! Det var ikke min feil! En dristig person profeterte over meg og sa at jeg skulle bli en Ordets forkynner. Å dømme ut fra hvordan jeg så ut den spesielle dagen, må det ha vært den dristigste profeti noe menneske noensinne har gitt. Og jeg var gal nok til å tro det. Jeg tenkte derfor at dersom jeg skulle bli en Ordets forkynner, fikk jeg sannelig begynne å lese Ordet. Fra da av har jeg lest i Ordet hele tiden, og nå føler jeg at jeg står midt i en elv full av åpenbaring, vel vitende om at det ikke er fordi jeg selv er så dyktig.

De senere år av vår kristne vandring har vært som et høydepunkt i livene våre. Det var først da jeg klarte å gi slipp på alt jeg følte jeg måtte bli, for bare å være en liten gutt i min Fars armer, at jeg var i stand til å erfare den friheten og gleden jeg eier i dag.

Vet du hva nøkkelen til denne åpenbaringen om Fars kjærlighet er? Bare å bli som et lite barn. *Et lite barn.* Jo mer du forsøker å bli sofistikert og å ha all slags kunnskap, jo mer du leser i Skriften, lytter til prekener og leser all slags kristen litteratur, jo mer du ønsker å vokse opp som en stor, sterk, voksen Guds mann eller kvinne, desto mindre er du i stand til å kjenne Far som en kjærlig Far for *deg.*

I synet mitt av ridderen som kom ridende ut av skogen, følte jeg meg som en liten gutt ... *men jeg satt på en hvit hest.* Den hvite hesten er Den hellige ånd. Og dersom du tenker å sette deg opp på den hesten, får du ikke lov til å holde i tømmene. Du må gå dit hesten danser. Og det er en dans. Gud ønsker å bruke oss. Han ønsker at hans kraft skal åpenbares gjennom oss, men paradoksalt nok er *svakheten din ditt største aktivum.* Har du noen svake punkter i livet ditt? Har du noen problemer som du ikke klarer å løse? De er ditt største aktivum. Vi venter så ofte på at Gud skal løse alle våre problemer før han kan bruke oss. La meg fortelle deg noe. Han bruker deg midt i din svakhet. Jo svakere du er, jo mer kan han bruke deg. Vårt største handikapp er vår egen styrke, våre egne ferdigheter, eksamenspapirene våre og alt vi har utrettet. Den største hindringen vi står overfor er forestillingen om at vi må være "trossterke" og ha løst alle våre problemer.

Dersom du bygger på din egen styrke, vil han la deg få produktet av *din* styrke. Men dersom du kan være svak, vil du få produktet av *hans* styrke, og det er uendelig meget bedre.

KAPITTEL 8

Sønnekårets herlige frihet

~

Jeg ønsker av hele mitt hjerte at du som leser dette, vil få hjelp til å åpne ditt hjerte for Fars kjærlighet. Hans dypeste lengsel er å få ha sine barn tett inn til seg, der de kan oppleve intim nærhet, skjult i Kristus i Fars hjerte. Men det er ikke alt. Det er så mye, mye mer, vi har en herlig arv i vente, den arven som tilkommer sønner og døtre. Han er vår arv, og ikke nok med det, vi er *hans* arv. Og nå venter vi på selve høydepunktet! Det som ligger foran oss. Et framtidsperspektiv som favner om hele evigheten. Så fest sikkerhetsbeltene, og gjør deg klar for ditt livs kjøretur.

Måten jeg forkynner på har noen ganger vært meget skremmende. Watchman Nee har påpekt at det finnes to ulike måter å forkynne på med salvelse. I den første av disse har du et budskap der du vet nøyaktig hva du kommer til å dele gjennom hele talen, og så er du i stand til å forløse salvelse inn i budskapet. Den andre måten går ut på å la seg lede av salvesen, uten på forhånd å vite hvilken retning du skal gå eller hva du skal si. Det er selvsagt langt mer skremmende, men også mye morsommere i den forstand at du aldri er sikker på hva Herren kommer til å si i neste setning. Noen ganger opplever jeg at jeg taler uten å vite hva jeg sier, og jeg blir ofte overrasket over å høre ordene som kommer ut gjennom munnen min. Svært ofte er det slik at jeg sier en ting, uten å ane hva jeg snakker om! Det hendte en spesiell gang i Tyskland, og fordi jeg var avhengig av å bli tolket, hadde jeg selvsagt litt mer tid til å be mellom setningene. Jeg sa noe, og visste ikke hvorfor jeg sa det, men jeg følte at det var Herren. Jeg talte om hvordan Gud elsker å komme og være en Far for oss i alle livets hverdagslige småting. Han elsker å demonstrere sin kjærlighet til oss gjennom helt vanlige ting, som for eksempel når det gjelder å finne en ledig parkeringsplass. Mens jeg forkynte, hørte jeg plutselig meg selv si, *"Men det er ikke det han egentlig er ute etter!"*

HVA ER DET SÅ HAN ER UTE ETTER?

Da jeg sa det, tenkte jeg umiddelbart, "Vel, hva er det han *egentlig* er ute etter?" Hva annet kunne det være? Jeg følte virkelig at Den hellige ånd talte gjennom meg, men jeg ante ikke på noen måte hva han egentlig var ute etter! Inni meg sa jeg, "Herre, hva *er* du egentlig ute etter? Han svarte ikke, så jeg bare fortsatte med å tale og sa, "Han elsker å komme på gudstjenestene våre og å salve lovsangen ... men det er ikke det han egentlig er ute etter." "Vel, hva er du *egentlig* er ute etter? ropte hjertet mitt!

I mitt sinn lå jeg noen skritt på forskudd, og jeg tenkte, "Hva i all verden er det jeg skal si i neste omgang?" Jeg følte at jeg satte meg mer og mer fast i et dypt hull, og at jeg ikke ville være i stand til å komme meg ut av det! Jeg hadde ingen anelse om hva som kom til å skje, men jeg syntes ikke å ha noe annet valg enn bare å fortsette å tale. Så jeg satte i gang med å dele en historie om noe Denis og jeg hadde opplevd.

Jeg fortalte om tiden Denise og jeg hadde tilbrakt i Nederland et par år tidligere; vi holdt på med å kjøre i full fart til jernbanestasjonen. Togene i Nederland går presis på minuttet, og er aldri det minste forsinket. Dersom du ikke innfinner deg i tide, mister du toget. Så vi kjørte inn foran stasjonsområdet for å rekke toget. Vi hadde fire minutter på oss til å finne et sted å parkere bilen, komme oss ut av den, løfte ut koffertene, kjøpe billettene, gå til plattformen og komme oss på toget. Vi hadde det med andre ord rimelig travelt. Da vi kom inn på parkeringsplassen, var alt fullt. Ikke bare det, men hundrevis av sykler sto oppstilt mot veggene på stasjonen og vi forsto at det var den travleste tiden på dagen. Vi kjørte opp og ned langs bilrekkene for å finne en ledig plass, men det var ingen å finne. Det var fullstendig fullt. Så ba Denise en bønn, "Far, kan du være så snill og gi oss en parkeringsplass?" Hun hadde allerede begynt å be da vi kjørte inn på parkeringsplassen, fordi hun regnet med at hun måtte gi Herren litt tid til å sende noen andre tilbake til bilen sin. Selv Gud kan ha behov for litt tid for å ordne opp i slike saker.

Så mens vi kjørte rundt omkring for å finne en ledig plass, tilføyde hun, "Herre, la om nødvendig noen føle seg bare *litt* uvel og bestemme seg for ikke å gå på jobben i dag!" Jeg vet ikke hva slags teologi som ligger til grunn for en slik bønn, men uansett ba hun den mens vi nærmet oss en ny rekke med biler – og så fikk hun helt i den andre enden av plassen øye på en kar som kom gående rett imot oss. Plutselig stanset han opp, gjorde helomvending og gikk tilbake til bilen sin. Denise skrek til Vince som kjørte, "Følg den mannen!" Så vi skyndte oss å følge etter ham. Da vi rundet hjørnet, satte han seg inn i bilen, tente motoren og kjørte av gårde. En ledig parkeringsplass! Vi cruiset rett inn og Denise sa, "Nå kan du la ham føle seg bedre, Herre!" Det var den parkeringsplassen som lå nærmest hovedinngangen til jernbanestasjonen. Vi hoppet ut, fikk tak i billetter, skyndte oss nedover en plattform mens vi slepte koffertene våre etter oss, kom oss over til den plattformen der toget vårt var klart til avgang, gikk inn gjennom døren på toget som lukket seg bak oss, og der var vi. Vi klarte det – akkurat!

Det er slik han er. Han elsker å være en far for barna sine på den måten. Men da jeg holdt på med å tale den dagen, sa jeg gjentatte ganger, *"Men det er ikke det han egentlig er ute etter!* Han elsker å komme med sin salvelse på korstogene, evangeliseringsframstøtene og misjonsreisene våre, *men det er ikke det han egentlig er ute etter!"* Den samme setning kom til meg på nytt og på nytt, og jeg kunne merke at spenningen begynte å tilta i rommet. Alle og enhver tenkte, "Hva er det han *egentlig* er ute etter?"… og jeg visste det ikke! Idet jeg sa det nok en gang, viste han det omsider til meg.

Du forstår, han elsker å komme og være en Far for oss i alle livets store og små spørsmål, men det han *egentlig* er ute etter, er å få oss til å bli sønner og døtre for ham i all de spørsmål som gjelder *hans* liv. Han ønsker at vi ikke bare skal kjenne ham som Far i *vår* verden, men at vi kan bli sønner og døtre for ham i *hans* verden, i *hans* perspektiv på livet.

En ting jeg har merket meg når det gjelder fedre og mødre, er at de ønsker at barna deres skal få en livskvalitet på høyde med eller *bedre* enn deres egen. Uansett hvilket utdanningsnivå de selv har nådd, ønsker de at barna deres skal få like mye, om ikke bedre, utdanning enn dem selv. De ønsker alltid noe bedre for sine barn. La meg fortelle deg at Gud føler det på den samme måte overfor barna sine. Han er vår Far og han ønsker at vi skal bli sønner og døtre *i samsvar med den han er.*

Da vi første gang fikk høre om Gud vår Fars kjærlighet, tenkte vi at dette budskapet bare var anvendelig med tanke på helbredelse av følelseslivet. Men etter hvert innså vi at budskapet hadde langt større implikasjoner enn vi noensinne kunne ha forestilt oss. Han utøser sin kjærlighet i våre hjerter og helbreder oss på dypet når det gjelder traumer livet har påført oss, men det er bare begynnelsen. I møtet med denne nye erfaringen av Fars kjærlighet tenker mange av oss til å begynne med, "Å, nå er jeg fullt og helt helbredet, og kan starte opp på nytt med det jeg holdt på med og fortsette som før, nå når jeg er blitt helbredet i min personlighet." Gud har et langt større formål enn som så. Han ønsker at vi skal lære oss å vandre kontin- uerlig i svakhet sammen med ham. Hans ønske er at vi skal venne oss til å være like sårbare og avhengige av Far som Jesus selv var det. En av de største hemmeligheter i kristenlivet er å bli komfortable med vår egen svakhet, i stedet for å forsøke å bekjempe den.

Vi er ofte tilbøyelige til å ydmyke oss og bli svake *i det skjulte* med sikte på å bli helbredet, men vår himmelske Far ønsker at vi skal lære oss leve i en tilstand preget av svakhet. Sårbarhet kan oppleves som truende. Gud ønsker ikke at vi bare skal ydmyke oss en gang for alle, for å være ferdige med det, men at vi skal *leve* der. Når vi lærer oss å leve i ydmykhet, i en tilstand der vi hele tiden har behov for hans kjærlighet og der vi i stadig større grad identifiserer oss med Jesu egne ord om at *"Sønnen ikke kan gjøre noen ting av seg selv,"* da kan Gud bruke oss. Da kan du nå høyder i ditt gudsliv som bare kan nås av dem som er ydmyke. Så når vi lærer oss å leve slik, er han i stand til å arbeide med oss som hans sønner og døtre. Det var dette vi hadde begynt å se. Far ønsker at vi skal bli sønner og døtre *i samsvar med den han selv er.*

Da jeg grep meg selv i å forkynne dette budskapet i Tyskland for første gang, var det helt i startfasen på en åpenbaring som ikke bare var i ferd med å forandre mitt liv, men også min identitet. På den tiden i mitt liv hadde jeg tenkt, "Vel, vi har en relativt vellykket omreisende forkynnertjeneste, og jeg setter den høyere enn alt annet jeg har gjort i mitt liv. Vi har så vi klarer oss. Det fungerer bra for oss på alle praktiske måter." Jeg tenkte, "Slik er det! Jeg er en omreisende predikant som reiser over hele verden og taler om Far; så drar jeg hjem igjen, får meg litt ferie, og legger ut på en ny reise. Det fungerer veldig bra!"

Men da jeg fikk se at Gud kaller oss til å bli sønner og døtre i samsvar med den *han selv er*, og med hans perspektiv på universet – da var det at jeg begynte å forstå at jeg måtte finne en retning på livet mitt som passet med posisjonen jeg hadde som en Guds sønn, og ikke bare som en omreisende predikant. Hva kunne jeg gjøre med livet mitt, slik at jeg kunne bli en sønn *i samsvar med* den min Far er? – For min Far er tilfeldigvis allmektig Gud! Det var da jeg begynte å se for meg hele denne drømmen om å bringe budskapet om Fars kjærlighet ut til alle grener av kristenheten, til hver kultur, hver nasjon og hver person i verden. Og slik begynte hele denne historien. Vi begynte sakte men sikkert å utvikle skoler der folk kunne få erfare på dypet Fars kjærlighet. For når du får den åpenbaringen inn i hjertet ditt, forandrer hele verden seg.

HVORDAN ER GUD?

Når du begynner å tenke igjennom hva det betyr å være en sønn eller en datter i samsvar med han som er din Far, fører det til et annet spørsmål. Hvordan er egentlig min Far? Hvilke egenskaper er det som beskriver hans vesen? For å kunne bevege oss som sønner og døtre i samsvar med den *Han er*, må vi finne mer ut av hva det er som særpreger ham. Hvilke egenskaper og begreper er det som kan beskrive ham? La meg liste opp noen av de viktigste egenskaper jeg umiddelbart tenkte på. Gud er Sannhet, han er omsorgsfull og ønsker å ha nære relasjoner med oss, det er helt sikkert! Frelse, tro, håp, glede, alt dette er ulike sider ved hans natur. Absolutt! Jeg tenkte på flere andre egenskaper, som nåde, at han er herlig, hellig. Og så kan du jo tenke ulike sammensetninger med forstavelsen "all. Han er allvitende, allmektig, allesteds nærværende.

Mens jeg tenkte på disse ulike egenskapene ved Gud, fikk jeg også for meg et annet ord. Det var et ord jeg aldri tidligere hadde tenkt på når det gjelder å beskrive Guds natur. Og jeg hadde heller ikke hørt noen andre kristne forkynnere bruke dette ordet. Det var ordet "fri." Gud er FRI.

Frihet er trolig en av de tingene menneskehjertet setter mest pris på. Vi ser på filmer om frihet, leser bøker om frigjøring og likestilling, hører på musikk som uttrykker frihet. Hvorfor er vi så fascinert av skikkelsen William Wallace i filmen *Braveheart*. Det er fordi alt i oss reagerer positivt i møte med en mann som er villig til å gi sitt eget liv for friheten, både for sin egen del og for folket og nasjonen sin. Frihet er sannsynligvis en av de største utfordringer vi står overfor som mennesker. Mer enn alt annet ønsker menneskene å være fri. Motsatsen til frihet er slaveri. Jeg kan ikke tenke meg noe verre enn slaveri. Jeg ville heller dø framfor å være en slave! Slaveriet må være en av de mest grusomme påfunn menneskeheten har utpønsket. Som slave kan du ikke treffe en eneste beslutning på egen hånd, ikke på noen som helst måte. Du har ingen kontroll over det du gjør fra det ene øyeblikket til neste. Du har ingen kontroll med hva du skal spise eller hva slags klær du skal ha på deg. Hvis du gifter deg, kan du, dersom en av dere blir solgt eller dere begge blir solgt på hvert deres sted, risikere å ende opp med å bli skilt fra ektefellen din. Slavearbeid der barn er involvert, er enda verre. Det står i motsetning til alt vi forstår med frihet. Det finnes noe i alle mennesker som går i retning av håp, som tror på en bedre fremtid.

Friheten er en iboende del av Guds natur og hans hjerte. Han representerer *den totale frihet*. Frihet måles alltid i forhold til begrensninger. Har Gud noen begrensninger? Han kan jo gjøre alt, ikke sant? Han kan skape alt han ønsker. Det finnes ingen grenser for hans frihet. Likevel er det en ting han ikke kan gjøre. Han kan ikke synde. I seg selv er jo ikke dette noen begrensning, selv om jeg en gang tenkte at det var det, helt til jeg forsto syndens natur. Folk pleide å si til meg, "Synden er helt forferdelig. Du må all for del ikke synde! Gud hater det. Det er galt. Det er ille. Det er ondt!" Men disse forklaringene ga meg ikke noe tilfredsstillende svar. Det var jo visse atferdsmønstre som gikk for å være synd, selv om de ikke lot til å skade noen andre mennesker. Hva var det som var så fryktelig og galt med disse spesielle tingene? Det er mange ting som helt åpenbart er gale, men det var også visse former for synd som jeg med hånden på hjertene ikke kunne se noe galt i. Det finnes også ting som vi tillater i våre liv fordi vi ikke fullt ut forstår hva det er som er så galt *med* dem eller fordi vi ikke kan se det gale i et spesielt atferdsmønster.

Det virkelige problemet med synden er *at den binder deg til seg*. Synden griper tak i deg og den *behersker* deg, *kontrollerer* deg, *binder* deg og tar fra deg din frihet. *Det* er grunnen til at synden er så farlig. Slik Gud sa til Kain, *"Synden ligger klar ved døren. Den ønsker makt over deg ..."* (1 Mos 4,7). Synden ønsker alltid å få makt over oss, og når vi involverer oss i synd, binder den oss fast i sine lenker og begynner å dra oss ned. Grunnen til at Gud ikke ønsker at vi skal synde, er ikke så mye fordi synden er "dårlig," men fordi han vet at den vil ødelegge vår sjel. Den vil dra oss dypere og dypere ned i slaveriet, og det er bare Jesu blod som kan sette oss i frihet fra det slaveriet.

Så når vi sier at Gud ikke kan synde, er det fordi *han ikke vil miste sin frihet.* Han vil ikke bli behersket av noe. Han vil alltid forbli fri. Jeg hadde aldri tidligere forstått at friheten var så viktig for Gud. Og nå begynte jeg å se det mer og mer hver gang jeg leste i Bibelen. Skriftsteder som Rom 8,15, 2 Kor 6,18 og Gal 4,6 taler alle om oss som Guds sønner og døtre som er kommet inn i den samme erfaring av *friheten* som han har.

DENNE VERDENS FRIHETER

Når vi betrakter friheten fra et menneskelig perspektiv, kan det virke som om det er de mennesker som har størst rikdom, som eier mest frihet. Dersom du har massevis med penger, kan du gjøre hva som helst. Jo mer penger du har, jo større frihet har du. For noen år siden kom skuespilleren John Travolta til New Zealand i sitt eget jetfly, med seg selv som pilot. Han fløy inn mot flyplassen i Auckland, og da han nærmet seg punktet der han skulle gå inn for landing, bestemte han seg ved et plutselig innfall for ikke å lande, for i stedet fortsette å fly over hele New Zealand på langs for å beundre landskapet før han landet. Han fløy mot sør over hele Nordøya og deretter over hele Sørøya, og under veis beundret han alle fjellene for så å fly nordover igjen tilbake til Auckland. Bare for å se! De må ha kostet ham tusenvis av dollar bare å titte ut av vinduet for å se alt han ønsket å se på. Dersom du har penger, kan du gjøre nesten alt du ønsker deg.

Tenk deg et øyeblikk at du blir vekket opp en morgen fordi telefonen ringer. Når du svarer på oppringingen, får du høre at du har arvet et kjempestort pengebeløp. Så mye penger at dersom du begynner å bruke dem med en gang og i resten av ditt liv, vil du aldri bli kvitt dem. Bare forsøk å tenke deg hva du ville kunne gjøre. Du ville kunne kjøpe deg hva som helst, uten begrensninger. Hva ville du ha gjort dersom du hadde hatt så mye penger?

Ville du legge ut på en reise jorda rundt? Ville du ønske å få se verdens mest berømte nasjonalparker og bruke tid på utforskingen av dem? Ville du kjøpe deg en øy? Hva skulle du ha bygget opp på den øya? Den mest luksuriøse bolig du kan drømme om? Ville du ha dratt til en storby for å shoppe? Selvsagt ville du det! Alle sammen ville vi ha ønsket å shoppe! Forestill deg at du ønsket å reise til Hawaii, men at det ikke var flere billetter. Men da kunne du vel ha kjøpt opp hele flyselskapet? Så kunne du ha reist akkurat dit du ønsket deg, når som helst. Kanskje ville du ha ønsket for en periode å bo på det flotteste hotellet i Monaco. Du kunne til og med ha kjøpt hele hotellet. Valgmulighetene ville ha vært uendelige. Dersom du hadde vært rik nok, ville du ha hatt all verdens frihet.

En av drømmene mine var å få reise til Alaska. Jeg samlet meg opp nok bonuspoeng til å kunne fly dit. Så med utgangspunkt i Fairbanks haiket jeg hele veien nedover til Achorage, og det tok meg omkring ni dager. En kar tok meg med på en flytur i sitt eget toseters Piper Cub og fløy lavt ned mot lysninger i skogen på utkikk etter elg og grizzlybjørner. Jeg dro av sted for å fiske laks sammen med noen andre karer, og der sto jeg ute i vannet og fikk den ene laksen etter den andre på kroken. I sanden rett bak meg var det fotspor etter grizzlybjørner, noe jeg fant litt foruroligende!

Når du får oppfylt en drøm, sitter du igjen med en drøm mindre.

Til slutt vil det ikke gjenstå flere drømmer. Dersom du er styrtrik og kan gjøre alt du måtte ønske deg, vil du lett kunne få oppfylt drømmene dine i løpet av en femårsperiode. Men du vil bli vant til det, og sakte men sikkert vil du oppleve at livet blir grått og kjedelig.

For mange år siden leste jeg i en artikkel av en psykiater i *Time Magazine*, stilet til det lille segment av lesere som er styrtrike. Han kom med følgende påstand, *"Det lar seg ikke gjøre å måle den fortvilelse og håpløshet som preger de styrtrike."* Er ikke det interessant? De styrtrike kan ha all den frihet det er mulig å skaffe seg i denne verden, men like fullt lar ikke fortvilelsen og håpløsheten som preger dem, seg måle. Dersom alle drømmene dine er blitt oppfylt, har du ikke mer å leve for. Jeg har drømmer som jeg vet aldri vil bli oppfylt, men likevel liker jeg disse drømmene fordi det å drømme i seg selv gjør meg levende. Dersom du ikke har flere drømmer og du har oppnådd alt du har ønsket deg, mister du på en måte livsgnisten. Det er så utrolig viktig for oss å kunne drømme. *Det viser at menneskehjertet har en evne til å drømme om ulike former for frihet som går langt utover hva verden kan tilby.* Denne verden vil aldri kunne oppfylle drømmene dine og denne verden kan ikke gi deg den frihet som hjertet ble skapt til å eie. Vi er ikke skapt til denne verdens begrensede frihet. Vi er skapt til å nyte den samme frihet som Gud selv har.

HVOR VIL JEG HEN MED DETTE?

Romerbrevets åttende kapittel utdyper visse sider ved kristendommen som jeg tidligere aldri hadde forstått. Det taler om sønnekår og gjør klart for oss hvor Gud vil føre oss. Ofte ser vi bare de positive sidene ved en gitt sannhet, og ikke den virkelighet som ligger til grunn for denne sannhet. Vi kan for eksempel forestille oss at når vi blir fylt med Ånden, så er det for å kunne kaste ut onde ånder, mens dette egentlig bare er et biprodukt av en skapende prosess der Gud er i ferd med å forme vår identitet i ham. Vår identitet i Gud innebærer så mye mer enn bare det å kunne utrette store ting for ham.

Fra det første til og med det åttende kapittel i Romerbrevet gir Paulus oss en helhetlig beskrivelse av Guds hensikter ned gjennom historien. Han påviser hvordan Gud arbeider i verden. Denne beskrivelsen når sitt høydepunkt midt i Romerbrevets åttende kapittel. Her kommer han med flere herlige utsagn, bl.a. i versene 31 og 35: *"Er Gud for oss, hvem er da mot oss"* og *"Hvem kan skille oss fra Kristi kjærlighet? Nød, angst, forfølgelse, sult, nakenhet, fare eller sverd?"* Nei, intet av dette kan skille oss fra Kristi kjærlighet!

Jeg ønsker å henlede din oppmerksomhet på ett av de foregående vers (v. 22) der det heter, *"For vi vet at hele skapningen stønner og sukker som i fødselsvever, helt til denne tid."* (Bibelen – Guds Ord). Som mann vet jeg ikke så mye om smerten en kvinne gjennomgår når hun føder et barn. Jeg var likevel sammen med Denise da hun fødte Matthew, vår yngste sønn. Hun kom seg igjennom hele fødselen uten å gi fra seg en lyd. Og hun brukte ingen smertestillende medikamenter. Jeg var veldig stolt av henne, men jeg følte meg helt syk bare ved å se på henne og følge med på lidelsene hun gjennomgikk. Og selv om hun ikke ga fra seg en eneste lyd, holdt hun nesten på å brekke alle beina i fingrene mine – så slik sett vet jeg litt om smertene en kvinne gjennomgår under en barnefødsel. Folk forteller meg at det å føde et barn er en altoppslukende erfaring. Når en kvinne føder sitt barn, er hun ute av stand til å tenke på noe annet. Paulus bruker bildet med barnefødsel for å beskrive hvor intenst Gud lenger etter å føde fram sitt verk. Hele skapningen stønner og sukker som i fødselsveer, i et forsøk på å frembringe noe! Gud lengter helt ubeskrivelig etter at hans skaperverk skal bli satt fri fra syndefallets konsekvenser og bli virkelig fri.

Gud er særdeles tydelig når det gjelder hva han ønsker å utrette i våre liv. Noen ganger ser vi på troen vår som ikke noe særlig mer enn et vedheng til livet. Vi er så travelt opptatt med å fylle våre mange roller, "Jeg er arkitekt, bankmann, politibetjent, regnskapsfører, arbeidsformann, teammedlem, mor, far, mentor, idrettsmann eller -kvinne …, ja, forresten så er jeg også en kristen." Men om du er en kristen, så betyr det at Gud har som sin klare hensikt å fullføre sitt verk i deg, å gjøre deg til det han har designet deg til.

Dersom vi går tilbake til vers 19, finner vi et herlig utsagn, " … for skapningens inderlige lengsel venter og stunder etter åpenbaringen av Guds barn."* sønner. (Bibelen – Guds Ord). Gjennom hele menneskehetens historie har Gud vært opptatt av å få se sine sønner og døtre bli åpenbart i herlighet! Jeg tror at etter hvert som stadig flere mennesker får en stadig dypere åpenbaring av Gud som Far, etter hvert som de får erfare hans kjærlighet og får vandre med ham i den samme nære relasjon som Jesus hadde, da kommer vi til få se at Guds sønner og døtre reiser seg *med en autoritet som går langt utover det vi noensinne tidligere har opplevd.*

Dette vil bli en helt annerledes autoritet. Vi har erfart Ordets autoritet. Vi har erfart Åndens autoritet. Vi har erfart den autoritet som tjenestegavene representerer. Men det finnes en autoritet som er mye større en dette. Fars autoritet! Og den blir bare gitt til sønner! Når Fars autoritet kommer, vil den bli fullstendig gjennomsyret av kjærlighet, sannhet, kraft, nåde, godhet, mildhet, visdom og alle de andre egenskapene han har som far. Det kommer til å bli en autoritet som verden absolutt ikke vil være i stand til å motstå. Når den autoriteten kommer, vil vi få se Guds *sønner og døtre* reise seg i hver eneste nasjon.

SØNNERS OG DØTRES AUTORITET

Dette er målet den kristne kirke beveger seg mot. Dette er hele skaperverkets bestemmelse. Når Guds sønner blir åpenbart og framstår mer og mer lik Kristus, kommer vi til å få se menn og kvinner reise seg i enhver nasjon med en utrolig evne til å tale rett ut fra Gud vår Fars hjerte. De kommer til å framstå med en autoritet som går langt videre enn at de bare tror på Ordet og er fylt med Den hellige ånd, men med en autoritet som følger av at Gud vår Far har satt sitt stempel i deres hjerter og at de i sin framferd er lik ham. Paulus skriver at "... *for skapningens inderlige lengsel venter og stunder etter åpenbaringen av Guds barn.*"* sønner. (Rom 8,19, Bibelen – Guds Ord). Det er dette alt i siste instans dreier seg om!

Han kaller oss til å bli sønner og døtre i samsvar med den han selv er! Til å bli bærere av det stempel, det merke og den *autoritet* som Gud vår Far har gitt oss. De to vitnene i det ellevte kapittel i Johannes åpenbaring er et godt eksempel på sluttresultatet av Gud vår Fars hensikt med denne verden. De plaget verdens ledere med sin forkynnelse og kunne ikke bli drept med noe våpen fremstilt i denne verden, inntil Gud tillot det. Denne verdens ledere blir så lettet over at de er døde, at de feirer det ved å innby til fest! Men Gud vekker dem opp fra de døde slik at hele verden kan se det, og kaller dem opp til himmelen. Jeg vil anbefale deg å lese dette avsnittet grundig slik at du kan få et inntrykk av hva autoriteten du har gjennom sønnekåret virkelig innebærer.

Utsagnet fra Paulus om at skapningens inderlige lengsel venter og stunder etter åpenbaringen av Guds barn* sønner, er nærmere beskrevet i vers 21 der det heter at "skapningen selv skal bli fridd ut fra forgjengelighetens trelldom og ført inn i herlighetens frihet, den som tilhører Guds barn" (Bibelen – Guds Ord). Herlighetens frihet som tilhører Guds barn! Når vi ser på hva det betyr å være vår himmelske Fars sønner og døtre, er det tydelig at han kaller oss til å bli fri slik han selv er fri.

Dette er hva enhver god far ønsker for sitt barn – at det skal kunne få en erfaring av livet på samme nivå som han selv. Vi har en far som ikke kan sammenlignes med noen jordisk far, men han er den far som alle jordiske familier har sitt navn etter. Vi får med andre ord alle vår identitet som familie og som mennesker basert på det faktum at han er vår Far. Vi utgjør en del av den familie-relasjonen som finnes i treenigheten! Han er Faren, den virkelige Far og vi er nå hans virkelige sønner og døtre. Han har lagt sin Ånd ned i oss og han kaller oss til å komme inn i hans kjærlighet, å få oppleve hvordan han oppdrar oss som far inntil vi vokser opp til å bli sønner og døtre på linje med den *Han* er.

For noen år siden var det en bevegelse som gikk under navnet "Guds åpenbarte sønner," men de hadde ikke noen åpenbaring av Gud som Far. Du kan ikke være en sønn dersom du ikke har en åpenbaring av Gud som Far. Sønnekåret handler ikke *egentlig* om å være sønn. Sønnekåret handler om at Gud er vår Far fordi det er først når du virkelig er en sønn eller en datter at du har en relasjon med din far eller mor. Det er hva sønnekår betyr. Og når vi vokser i dette sønnekåret, fører han oss inn i den *herlige frihet* som tilhører Guds barn.

HVOR FRI ER GUD?

Den form for frihet vi er kallet til å gå inn i, innebærer noe langt mer enn hva vi tenker oss. Når du gir ditt liv til Herren, tilgir han dine synder og du er fri. I Joh 8,36 sier Jesus, "Får Sønnen frigjort dere, da blir dere virkelig fri." Vi tolker dette ofte som om det kun dreier seg om å bli satt fri fra synden og bli født på ny, men denne friheten går mye lenger enn det. Det er bare begynnelsen!

I Galaterbrevet er det et skriftsted som jeg tidligere aldri riktig forsto før jeg begynte å se det i lys av den friheten jeg her taler om. I Gal 5,1 leser vi, *"Til frihet har Kristus frigjort oss."* Jeg hadde alltid stusset over dette, fordi jeg ikke helt forsto hva det betød. Hvorfor understreker Paulus dette så sterkt? Hvorfor sier han ikke bare, "Gud har kalt oss til frihet?" Han formulerer seg her helt bevisst fordi det er *til frihet* at Kristus har frigjort oss. Jeg pleide å tenke at selve poenget med å bli satt fri, var å bli løst fra syndens slaveri. Men det er ikke slik. Det er *til frihet* Kristus har frigjort oss. Hvorfor? Jo, fordi *friheten er vår egentlige bestemmelse.* Han setter oss fri fordi friheten er så herlig, ikke fordi slaveriet er så forferdelig. Han ønsker at vi skal vandre i hans frihet og den friheten er helt utrolig.

Vi drømmer om denne friheten. Jeg tror at drømmene våre har sitt utspring i Edens hage, i Guds eget hjerte. Vi bærer alle på et ekko fra Edens hage inni oss. Forventningene vi bærer på om et liv preget av rettferdighet og likeverd er et svakt minne om tilstanden i Edens hage. Til tross for all urett og urettferdighet som denne verden er så full av, kommer det en dag der fullkommen rettferdighet skal råde.

Vi er alle kalt til å være fri på samme måte som Jesus, på samme måte som vår himmelske Far er fri. Men hvor fri er egentlig Gud? Og det er her det blir virkelig gøy.

En ting jeg liker med Jesus, var at han var fri fra skatter og avgifter. For å si det mer eksakt så betalte han sine skatter og avgifter, men han var ikke bundet av *kapitalismens metoder for å skaffe seg de pengene han trengte for å betale skatt.* I Matteus-evangeliets syttende kapittel stiller Peter Jesus et spørsmål som jeg vil omskrive på følgende vis, "Herre, skatteinnkreveren står og banker på døren. Skal *vi* betale skatter?" Jesus svarer i bunn og grunn slik, "Jo, det skal vi gjøre, men vi er ikke bundet av denne verdens metoder." Så ber han Peter gå av sted og fiske, med følgende beskjed, "Ta den første fisken du trekker opp, og når du åpner gapet på den, vil du finne en sølvmynt, og det vil være tilstrekkelig for både deg og meg." Det er fascinerende at Jesus ikke tok de andre disiplene med på dette underet. Det var bare Peter som stilte Jesus dette spørsmålet, og han ble vitne til den friheten Jesus opererte i. Så Jesus var fri fra denne verdens skattesystemer.

De Åndens gaver Jesus opererte i, var en demonstrasjon av hans frihet fra de begrensninger som vi med vår menneskelige forstand setter oss. Det handler ikke så mye om at Jesus hadde en helbredelsestjeneste, men snarere at han var *fri fra sykdom!* Han var fri fra alt som hadde sitt utspring hos fienden. Han ikke bare helbredet mennesker, han satte dem fri fra sykdom. Fordi han vandret i frihet, frigjorde han dem fra smertens og sykdommens fengsel.

Han var også *fri fra utdanningens begrensninger.* Han hadde inngående kjennskap til forhold han ikke hadde lært seg i et klasserom. Han hadde del i Guds kunnskap. Skriften sier at, *"han – Jesus – er blitt vår visdom fra Gud"* (1 Kor 1,30). Vi kan få del i vår Fars visdom. Vi kan tilegne oss den kunnskapen han eier.

Jesus var fri fra de begrensninger som vår jordiske kunnskap innebærer. Han var fri fra all den informasjon vi mottar gjennom våre fem sanser, gjennom utdanning og opplæring. Han var fri fra allment akseptert "kunnskap" og hadde del i en kunnskap som går langt utover vår jordske forståelse. Han gikk på vannet, ikke fordi han ønsket å gå på vannet, men fordi han ikke var bundet av tyngdekraftens lov. Peter var ikke like fri. Han så på vannet og tenkte, "Hjelp! Jeg kommer til å drukne!" og så sank han inntil han med et blikk på Jesus ble satt fri fra sin vantro. Jesus var ikke bundet av fysikkens lover. Vi ser det når han ble tatt opp i skyen og gikk til sin Far i himmelen. Kunne du tenke deg å fly? Hvorfor drømmer du om å fly dersom du ikke har noen mulighet til noen gang å klare det?

VI BLE FØDT I ET FENGSEL

Se for deg en gutt som er blitt født i et fengsel uten vinduer. Han vokser opp i fengselet blant de andre fangene og kjenner ikke til noen annen tilværelse enn den han har i fengselet. Hele hans perspektiv på tilværelsen er å finne i fengselssystemet. Han kjenner ikke til noe annet. Etter som tiden går lærer han seg å fungere innenfor fengselssystemets rammer, og han lærer seg til og med å bruke dem til sin egen fordel for å skaffe seg goder de andre fangene ikke har del i. Han lærer seg å manipulere systemet fordi han har skaffet seg kunnskap om hvordan fengselet operer og hva han henholdsvis kan og ikke kan komme seg unna med. Men alt han gjør, er *fortsatt innenfor* fengselets rammer. Han har aldri sett havet, han har aldri sett fjellene, han har aldri besøkt en bondegård. I virkeligheten kjenner han ikke til noe annet enn jerngitrene, steinmurene og alt det andre som regulerer livet i fengselet. Han tror kanskje at han har et godt liv, men han har ingen kjennskap til livets virkelige undre.

Poenget er at hver og en av oss *er blitt født* inn i et fengsel. Sir Walter Raleigh uttalte en gang, "Hele denne verden er ikke noe annet enn et stort fengsel." Det kalles "denne verden," den fysiske realitet vi omgir oss med, og så tror vi at det er alt livet har å by oss på, at dette er hva tilværelsen består i. Noen av oss er blitt veldig flinke til å manipulere denne verdens systemer. Vi tenker, "Dersom jeg kan ordne meg slik at jeg for min egen del får et bedre liv og klarer å sno meg innenfor denne verdens systemer, så er det vel og bra for meg!" Vi lever våre liv og forestiller oss at det er det beste livet har å by på – men det er ikke sant.

Realiteten, kjærer leser, er at vi er Guds sønner og døtre. Men da Adam og Eva syndet, senket det seg et dekke ned over menneskeslekten og tilslørte hvem vi virkelig er. *Vi er sønner og døtre av Den allmektige Gud, og han kaller oss inn i sin frihet.* Han kaller oss til å se hen til hvem vår Far er og begynne å leve på linje med den *Han* er. Når vi begynner å leve i forventningen, troen og erkjennelsen av det overnaturlige, når vi begynner å se utover det vi oppfatter som "reelt," utover det som ligger rett foran oss, utover det våre sanser forteller oss, og begynner å drømme om hvem vi kan være i Gud vår Far, begynner vi å strekke oss ut mot sønnekåret. Den vidunderlige sannhet er at Gud kaller oss inn i noe som er langt større enn vi kan forestille oss. Verden forsøker å stenge deg inne. Ja, noen ganger forsøker til og med menigheten å stenge deg inne i de begrensninger som følger av å måtte arbeide innenfor denne verdens systemer. Men vi er sønner og døtre av Den allmektige Gud.

Å FÅ OPPLEVE DEN HERLIGE FRIHET
SOM TILHØRER GUDS BARN

La meg avslutte med å fortelle tre historier. Disse historiene viser hvordan denne herlige friheten fungerer og gir oss et glimt inn det livet vi kan forvente oss som sønner og døtre i samsvar med den vår Far er. To av historiene bygger på erfaringer noen venner av meg har gjort seg, og en er hentet fra mitt eget liv.

En av Denise's venninner satt hjemme i huset sitt i nærheten av Toronto i bønn. Plutselig merket hun at hun ble løftet opp fra gulvet. Hun ble ført opp gjennom taket på huset og ut i kveldsluften. Heller ikke Jesus ble stengt inne av vegger. Hun ble ført ut i kveldsluften og videre av sted høyt oppe i luften med en utrolig fart, tvers over Atlanterhavet og videre over Europa. Da hun nærmet seg Russland, begynte hun nedstigningen helt til hun fløy tvers igjennom taket på et lite hus, langt vekk på landsbygda i Sibir. Hun fant seg selv stående på kjøkkengulvet i huset rett bak en gammel mann som satt og krøkte seg framover på bordet, mens han hulket og gråt. Hun la hendene sine på skuldrene hans og begynte å be, og da hun ba for ham, ble han fylt av Herrens glede.

Mens hun stod der og gråt av glede, ble hun på nytt løftet opp gjennom taket, hun fløy gjennom luften til Sør-Amerika, der hun fant seg selv i bønn for et annet menneske, for deretter å fly tilbake til sitt eget hjem. Hun var helt overveldet. En dag fortalte hun profeten Bob Jones om det hun hadde opplevd, og spurte ham, "Bob, hva tror du om dette?" Han sa til henne, "Vel, min kjære, det er bare det at du begynner å bli en virkelig kristen, det er det hele."

En annen venn av meg i Minneapolis var en kveld i bønn i soverommet sitt da han med ett følte et vindpust mot ansiktet sitt. Han åpnet øynene sine og oppdaget at han befant seg på sine knær på en brygge. Han hadde vært i bønn grytidlig om morgenen, men der på kaia skinte solen. Fullstendig overrasket så han seg omkring og lurte på hva det var som foregikk. Med ett fikk han øye på ei jenta litt lenger nede på kaia. Hun ropte og skrek i panikk, så han løp ned til henne og oppdaget at venninnen hennes hadde falt ned i vannet og var i alvorlige vanskeligheter. Ingen av jentene kunne svømme, så han hoppet ned fra brygga og dro henne opp av vannet. Han fikk dratt henne med seg opp på brygga og brukte litt tid på å berolige de to venninnene. Plutselig oppdaget han at han på nytt befant seg i rommet sitt i Minneapolis, men klærne hans var søkkvåte av saltvann! Han hadde absolutt ingen ide om hvor han hadde vært. Noen få år senere deltok han på en kristen leir da to jenter kom løpende opp mot ham. En av dem ropte, "Du er mannen! Du er den mannen som reddet meg! Mannen på brygga der jeg falt ned i vannet! Hvor ble det av deg?" Han sa til dem, "Hvor var det? Hva var det som skjedde?" De forstod ingen ting. "Du vet hvor det var. Du var jo der!" Han svarte dem at han ikke ante hvor det hadde skjedd og fortalte dem hele historien. De sa, "Vel, det var i Florida."

Den siste historien har jeg selv opplevd. For noen år siden var vi samlet som familie i hjemmet til moren til Denise. Kvelden nærmet seg og alle begynte å snakke om hva vi skulle ha til middag. Til slutt ble det bestemt at vi skulle ha pizza, og det ble min jobb å dra av gårde for å kjøpe den. Jeg gikk på parkeringsplassen og låste opp bilen, men akkurat idet jeg skulle sette meg inn i bilen, kom jeg til å tenke på at jeg hadde glemt lommeboken min. Jeg husket at jeg hadde lagt den fra meg på soverommet. Men idet jeg skulle til å gå inn i huset igjen for å hente den, var det en liten røst inni meg som sa, "Ikke bekymre deg for det." Jeg tenkte, *Skal jeg ikke bekymre meg for det?* Jeg har ingen penger på meg! Og det er nok av penger i lommeboken min. Det byr ikke på noen problemer å gå inn og hente den. Jeg trenger den virkelig!" Men igjen lød den lille røsten, "Ikke bekymre deg for det."

Så jeg lukket bildøren og begynte å kjøre av gårde i retning av byen – bare noen kilometers kjøretur. Hele tiden tenkte jeg, "Hva skal jeg gjøre?! Jeg kjenner ikke den fyren som driver pizzabutikken. De kommer ikke til å gi meg pizza gratis. Jeg skulle ha dratt tilbake og hentet lommeboken min!" Men av en eller annen grunn bare fortsatte jeg å kjøre. Jeg kom til et veikryss der jeg skulle ta av til høyre, og der stoppet jeg opp og så nedover veien. Ingen biler i sikte. Jeg så den andre veien – det var klar bane. Da var det at jeg fikk øye på en tidollars seddel som kom blåsende med vinden rett imot meg. Jeg hadde aldri tidligere sett pengesedler komme blåsende med vinden nedover veien, og jeg har heller ikke sett det senere. Den blåste rett mot meg og så ble den løftet opp over motorlokket på bilen. Jeg tenkte, "Den skal jeg få tak i!" Og så åpnet jeg døren og akkurat da blåste pengeseddelen ned av panseret og dalte ned på veien ved siden av meg. Bilen jeg kjørte var ganske lav, så jeg kunne bare bøye meg ned og plukke pengeseddelen opp fra bakken uten en gang å sette foten min på utsiden av bilen. Jeg lukket døren igjen og dro videre for å kjøpe pizzaen. Den kostet 9 dollar og 95 cent. Jeg hadde masse penger i lommeboken min hjemme, men det var som om min himmelske Far sa til meg, "Du synes du er far i familien din, men jeg ønsket bare å vise deg at det er *jeg* som er din Far." For meg var dette et stort under, selv om det i og for seg var en liten sak. Det fikk meg til å forstå at vi ikke er av denne verden.

Vi er Guds sønner og døtre. Når vi lærer oss å vandre i en permanent erfaring av at Han elsker oss hver eneste dag, vil vi bli frie. Alt vi holder for å være herlige, overnaturlige gaver fra Gud, er i virkeligheten bare et uttrykk for hvem vi egentlig er ment å være. Når Guds sønner og døtre blir åpenbart, kommer Guds rike til å bli etablert og denne verden kommer til å forandres. Alt av Satan vil bli kastet ut. Dagen er inne for Lammets bryllupsfest og vi vil alle være med der. Gud vår Far vil komme og knele ned ved siden av deg for å tørke bort hver tåre. Skriften sier, *"Nå er vi Guds barn, og det er ennå ikke åpenbart hva vi skal bli"* (1 Joh 3,2). Når vi er med på bryllupsfesten, vil vi se på hverandre og si, "Vi visste ikke en gang halvparten!!!"

Vi lever i en tid der bruden gjør seg i stand til Lammets bryllup. På den bryllupsdagen vil vi bli Kristi brud. I jødiske bryllup skal brudgommen ifølge tradisjonen ikke møte sin brud før på selve bryllupsdagen. Før det blir hun gjort i stand for ham. En dag skal vi få se Jesus ansikt til ansikt, men nå holder vi på å gjøre oss i stand til det.

Abraham (Gud vår Far) sendte ti kameler fullastet med gaver fra sine forrådskamre av sted med tjeneren sin (Den hellige ånd), slik at Rebekka kunne bli vant til den kjærlighet og de familieomgivelser Isak (Jesus) hadde kjent hele sitt liv. Nå er det Gud vår Far som overøser oss med alt han er og har, slik at vi kan bli gjort i stand og satt i rett skikk til ekteskapet med hans sønn.

"Nå er vi Guds sønner."

For første gang i mitt liv føler jeg at jeg har kommet fram til en virkelig forståelse av hva evangeliet egentlig handler om. Det handler i sin helhet om en Far som har mistet sine barn og som helt enkelt ønsker å få dem tilbake igjen. Fordi størsteparten av menneskeslekten har store vanskeligheter med å elske autoritetsfigurer (syndefallet har ført til at de fleste mennesker i maktposisjoner er blitt korrumpert av makten), kom ikke Gud vår Far selv, men han sendte sin Sønn som på fullkommen vis representerer ham og kan dra oss tilbake til Ham igjen.

Gud er i sannhet vidunderlig! Og vi er hans sønner og døtre! Jeg ser fram til den dagen da vi skal få se sønner og døtre i sitt fulle uttrykk og i frihet reise seg fra alle verdens nasjoner, dagen da de skal demonstrere for alle hvem Gud er som person, i sitt vesen og sine gjerninger, dagen da de skal vandre som Jesus i denne sønderknuste verden.

KILDER

Derek Prince, *Newsletter, februar 1998.*

C.S. Lewis, *A grief Observed,* Faber and Faber, London, 1961.

Andrew Murray, *Abiding in Christ,* Bethany House Publishers, Minneapolis, Minnesota, 2003. Opprinnelig utgitt i 1895 av Henry Altemus under tittelen *Abide in Christ.*

Augustin fra Hippo, sitert av Fr. Raniero Cantalamessa i *Life in the Lordship of Christ,* Sheed and Ward, Kansas City, 1990.

En invitasjon ...

Dersom du har satt pris på å lese denne boken, inviterer vi deg til å delta på en A-skole i regi av Fatherheart Ministries. Denne skolen går over en uke og tar sikte på å åpenbare Gud vår Fars kjærlighet for deltakerne.

A-skolen har to formål:
1. Den gir deg en mulighet til å lære mer om Gud din Fars kjærlighet samt å få erfare denne kjærlighet i ditt eget liv.
2. Den gir deg meget solid Bibelundervisning om den plass Gud som Far ønsker å ha i ditt kristenliv

Gjennom skolen vil du få en innføring i alt åpenbaringen om Fars kjærlighet rommer. Gjennom salvet innsikt og sunn Bibelundervisning formidlet gjennom livene til de som tjenestegjør overfor deg, vil du bli eksponert for et budskap om kjærlighet, liv og håp som vil forvandle hele ditt liv.

Du vil få mulighet til å bli fri fra det som hindrer deg i å ta imot Fars kjærlighet og å oppdage i ditt hjerte at du er en ektefødt sønn eller datter av din himmelske Far. Jesus hadde en sønns hjerte i forhold til sin Far. Han levde sitt liv i tett kontakt med sin Fars kjærlighet. Johannesevangeliet forteller oss at alt han sa og gjorde var i samsvar med det han så og hørte sin Far gjøre. Jesus innbyr oss som den førstefødte til å komme inn i den samme verden som hans brødre og søstre.

Når vi åpner våre hjerter, fyller Far våre hjerter med sin kjærlighet ved Den hellige ånd. I et hjerte som er blitt forvandlet av hans kjærlighet, kan det finne sted en sann og varig forandring. Det er mange mennesker som etter mange år med kamp og strid har funnet veien hjem, til et sted der de får oppleve hvile og tilhørighet.

Nærmere opplysninger om A-skoler fås ved henvendelse til
www.fatherheart.net eller **www.fatherheart.no**

Andre ressurser fra Fatherheart Media kan bestilles fra:

www.fatherheart.net/shop - New Zealand
www.fatherheartmedia.com - Europe
www.amazon.com - Paperback & Kindle versions
www.fatherheart.no

FATHERHEART MEDIA

PO BOX 1039
Taupo, New Zealand 3330

Besøk oss på at www.fatherheart.net

Made in United States
North Haven, CT
03 December 2021

11910706R00114